一日尋味台北

從 Brunch、下午茶、極味餐廳到
Lounge Bar 的城市美食指南

編輯室報告

餐桌上的享樂時光

最近與朋友聚餐，我們喜歡從 Brunch 開始，在氣氛悠閒的餐廳，優雅而緩慢地享用美食，就好像貴婦一樣。午後，一樣的貴婦路線，在甜點、咖啡香中，繼續未完成的話題。如果對今日的相聚依然意猶未盡，那麼到 Lounge Bar 小酌，就是我們的最愛

找到一間「對的餐廳」，就像挖到寶，從空間設計到精緻美味的料理，每一個細節都隱藏著驚喜，讓人忍不住拿出相機這裡拍拍、那裡照照，興奮地討論著彼此的餐點。一間好的餐廳，處處都能夠牽動用餐人的情緒，在繁忙城市裡汲汲營營的都會男女，似乎更有理由放任自己在餐桌上享樂。

我們特別規劃從早晨到夜晚的餐桌之旅，讓睡覺睡到自然醒的你、午後想一個人發呆的你、準備慶祝特殊節日的你、急著與朋友餐後續攤的你…都能快速而準確地找到適合當下情緒的用餐地點，盡情享受專屬於都會男女優雅而幸福的味覺生活。

本書以台北市的餐廳為主，帶你在這座大城市裡尋味。另外，分屬中部、南部第一大城的台中和高雄，也精選出最精彩的人氣餐廳，任你用味蕾記憶一座城市的美好。

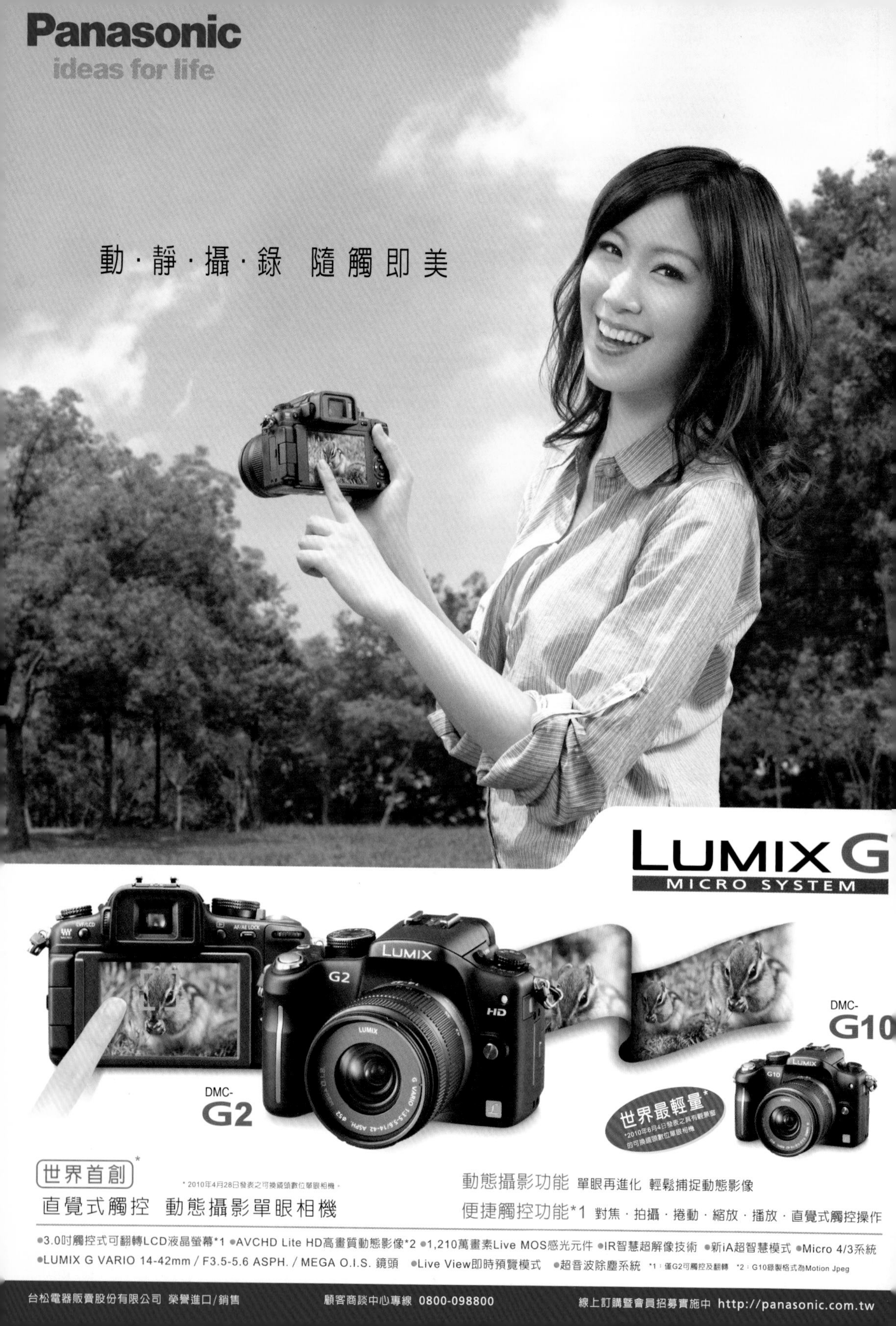
Panasonic
ideas for life
動·靜·攝·錄 隨觸即美
LUMIX G
MICRO SYSTEM
LUMIX
G2
HD
DMC-
G2
DMC-
G10
世界最輕量*
*2010年6月4日發表之具有觀景器的可換鏡頭數位單眼相機
世界首創*
* 2010年4月28日發表之可換鏡頭數位單眼相機。
直覺式觸控 動態攝影單眼相機
動態攝影功能 單眼再進化 輕鬆捕捉動態影像
便捷觸控功能*1 對焦·拍攝·捲動·縮放·播放·直覺式觸控操作
●3.0吋觸控式可翻轉LCD液晶螢幕*1 ●AVCHD Lite HD高畫質動態影像*2 ●1,210萬畫素Live MOS感光元件 ●IR智慧超解像技術 ●新iA超智慧模式 ●Micro 4/3系統
●LUMIX G VARIO 14-42mm / F3.5-5.6 ASPH. / MEGA O.I.S. 鏡頭 ●Live View即時預覽模式 ●超音波除塵系統 *1：僅G2可觸控及翻轉 *2：G10錄製格式為Motion Jpeg
台松電器販賣股份有限公司 榮譽進口/銷售
顧客商談中心專線 0800-098800
線上訂購暨會員招募實施中 http://panasonic.com.tw

Contents

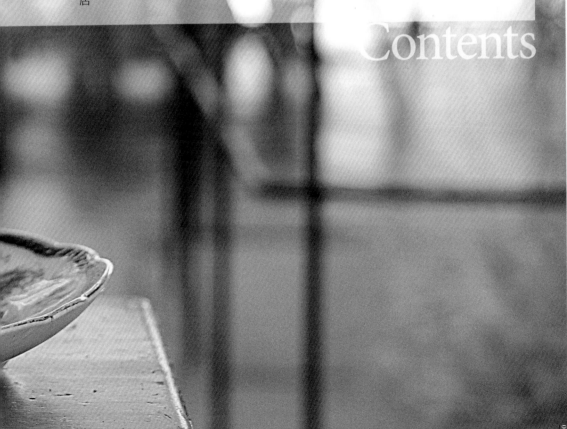

Gourmet・探索味蕾的無限可能

Contents

Party Time・餐桌上的派對

Relax・星光夜未央

同場加映・高雄尋味

188・城市尋味指南

Brunch
早安，晨之美

早晨，悠閒地享用一頓Brunch，
任晨光奢侈地流逝…

小貳樓餐館
MINI Second Floor cafe
超滿足的美式晨光

text 洪禎璐　photo 小兆

01

在辦公大樓林立的內湖科學園區裡，奇異地存在著這一棟四層樓高、地面面積僅十多坪的灰色建築物，身世背景據說相當複雜，不過現在已成為相當受到周邊上班族喜愛的餐館。

小貳樓全天候供應的早午餐，種類十分多樣，包含班尼迪克蛋系列、潛艇堡、三明治、歐姆蕾、貝果、煎餅等等，主打份量多、料實在，希望讓每一位客人都能吃得飽足。

店內的招牌是超完美早餐，由香脆培根、炒嫩蛋、薯餅、綜合水果優格盅和今日濃湯組成，再加上附贈的兩杯飲料，保證讓人大呼過癮。如果這樣還不夠，你可以選擇份量更大的巨無霸早餐。

量多料實在，營養滿分

最受客人歡迎的是總匯活力歐姆蕾，在滑嫩的蛋捲裡包藏了火腿、燻雞肉、起司、磨菇、蕃茄、玉米等豐富內餡，給足一整天所需要的營養。墨西哥貝里托捲則用墨西哥餅皮，將鮮蝦、燻雞肉或德式臘腸任一餡料，與鬱金香飯、起司、莎莎醬一起包捲在內，是風味獨具又讓人滿足的一品。

喜歡飯食麵點的人，可以選擇異國風味飯和義大利麵，其中最特別的是結合東西方料理特色的泰式香辣雙料義大利麵，獨特的蒜辣口感，給你別處吃不到的美味享受。

晨光限定

如果你喜愛品嚐的是Brunch的餐點內容，卻又希望不拘午餐或晚上皆能吃到，那麼來到小貳樓餐館就對了，最重要的是，這裡的Brunch份量超多，不論什麼時候吃都可以得到滿滿的飽足感。

01超完美早餐份量十足02小貳樓菜單03一樓有著透明屋頂的用餐空間04很美國風格的擺飾

茹素者來到這裡，也有弗卡夏三明治和總匯素食義大利麵可選擇，能與親朋好友各點所需，開心自在地聚會聊天。

以客為先，溫馨如家

六十九年次的黃老闆和好友曾在美式連鎖餐廳擔任管理級職務多年，受此影響，一直很嚮往美式風格。不過，他們在自己的店裡，注入了更多溫馨元素，凡事以客人為優先，可視客人需求調整套餐，而非一成不變地推出制式套餐。同時，他們也針對國人飲食習慣設計菜單，主餐在肋排之外，還有飯、麵可選擇。

此外，黃老闆也不吝與顧客分享自己對運動的喜愛，在一樓和二樓都設有液晶電視，全天候播放體育台節目。遇有國際重要賽事時，此處便成了運動迷的聚點。

小貳樓餐館善用小巧的內部空間，為每一層樓打造出不同的用餐風情。一樓推開門走入，右邊的吧台前擺有一排可旋轉的高腳椅座位，左邊則是採用橘紅色高背沙發椅的雙人座位，十足的美式風情。

01四樓是有著度假休閒風的空中花園02家一般溫馨的空間03充滿美式風情的吧台04靜靜享受無人打擾的美味時光05泰式香辣雙料義大利麵06&07樓梯間的書櫃擺設，舒緩了都會忙亂的步調。

05

04

走過樓梯口，卻見一個擁有透明屋頂的明亮用餐空間，象牙白色磚牆、壁爐和木質桌椅，營造出家的溫馨感。

走上二樓，木質桌椅、彩繪玻璃吊燈，再加上窗外風景，就像起居室般自在舒適。四樓的露台則用植栽和峇里島風桌椅，營造出空中花園般的氛圍。因為上方設有可伸縮的象牙白色布質棚架和固定式透明屋頂，四周也以高度適中的玻璃圍欄抵擋寒風，受天候的影響不大，能安全愜意地享受科學園區內的靜謐空間。*

07

06

小貳樓餐館
MINI Second Floor cafe
add 台北市內湖區洲子街73-1號
tel 02-2659-2058
time 週一~四11:00~21:30，週五~日8:00~21:30。
web www.wretch.cc/blog/secondfloor2
price 套餐約260元~350元

好樣 VVG Bistro

隨意自在的創意法式料理

text 洪禎璐　photo 小兆

01

03

02

圍繞著開放式廚房，看似隨意卻充滿設計感的空間裡，一道道精緻法式料理在此熱騰騰上桌，每個人都能在自在的氛圍中，輕鬆品嚐美味料理。

十分受到歡迎的好樣 VVG Bistro，最開始只是一群從事廣告及設計業的朋友，因為都喜歡做菜而創立的餐廳，本打算平日做不供餐的咖啡店，假日再由朋友們輪流做菜給顧客吃。沒想到，在口耳相傳下規模越做越大，開店不到四年就調整為現今的模式，每日提供精緻法式料理，週末還推出早午餐。

只是愛做菜

為維持餐點質感並不斷精益求精，主廚曾前往法國藍帶廚藝學校研習，廚房人員也不定時前往米其林星級餐廳品嚐料理。同時，包含八道料理及一道迎賓飲料的精緻早午餐，和店內所有單點料理，每三到四個月就會隨季節更換一次，只有好樣麵包、磨菇卡布奇諾、香烤雞肉包等少數經典料理，會如同老員工般的存在於菜單上。而所有的料理都是在開放式廚房裡，由廚房人員烹煮製作的。

雖然是法式料理餐廳，好樣為了讓周邊上班族能享用舒服又美味的午餐，今年還推出了可外帶的好樣便當，在可回收的日式便當盒裡，以九樣日式配菜搭配堅果米飯，還以素雅的便當布包裹起來，十分精緻、豪華，很適合想吃好料卻又沒時間的上班族。

舒服隨意的用餐空間

不同於一般拘謹的法式餐廳，圍繞著開放式廚房的用餐空間，有一種南法小餐館的溫馨。廚房裡，工作人員總是忙著切菜、煎煮料理、揉麵團、烘烤糕點等等，這一切都大方展現在顧客面前。烹煮過程中必然出現的聲響，伴著音樂流瀉在空間裡，感覺就像在家一樣親切。

由於老闆 Grace 出身於寬庭家飾設計，對於家飾擺設有其獨到的品味。她喜歡到世界各國蒐集各式家具，也愛在街上撿拾被丟棄的二手家具回來改造，這些異質家具混搭在一起，讓每一個角落散發出不同風韻。最裡面的L型牆面上，則是由實踐大學學生運用瓦楞紙、彈珠和橡皮筋製作而成的裝置藝術，感覺也十分特別。＊

好樣VVG Bistro
add 台北市忠孝東路四段181巷40弄20號
tel 02-8773-3533
time 週一～五12:00~23:00，週六、日11:00~23:00。早午餐，週六、週日11:00~16:00。
web vvgvvg.blogspot.com
price 早午餐套餐580元

01週末限定的好樣brunch，營養滿點。02開放式廚房讓顧客能了解廚房的一舉一動03如此豐盛，只是brunch的一部份。04架上陳列著各式香草調味料05利用從世界蒐集而來的家具，打造品味空間。

05

04

晨光限定
只有週末提供Brunch服務，卻能夠一直供餐到下午四點。餐點維持一貫的歐陸精緻風格，並隨季節更換。品嚐營養滿分的好樣手工麵包和果醬，搭配創意料理，這是一份只有在週末假期能品味到的悠閒時光。

吃蛋吧 Omelet to Go
一派輕鬆吃蛋吧

text 黃郡怡　photo 周治平

01

如果按照店址尋找吃蛋吧，很容易在光復南路巷弄間迷惘，其實這裡更靠近基隆路和信義路口，從信義路上彎進巷子約三十公尺，就能看到「吃蛋吧」可愛的招牌在對你揮手。

走進吃蛋吧，正前方大片黑板牆上寫滿菜式，讓人忍不住靠近一探究竟。旁邊吧台裡的 Ellen 熱切招呼，索性就在吧台坐下、點餐。吧台邊坐著三兩個熟客，與 Ellen 像老朋友般自在地聊天。Ellen 說，台灣人其實還是比較喜歡坐在餐桌用餐，未搬家前的吃蛋吧店面較小，用餐空間以吧台為主，因此養成了客人坐吧台的習慣；搬家後，即使店內桌子增加許多，熟客還是喜歡坐在吧台與大家東聊西扯，到最後客人也彼此都認識了。

吧台邊的交流

吧台是 Ellen 堅持一定要有的設計。有了吧台，能夠與客人作更多交流，最重要的是，吧台也像是一個人用餐時的避風港，能夠與店主或身旁客人說說笑笑，而不會有任何不自在。店名「吃蛋吧」加上「吧」字，除了表現口語化的親切感，也帶有「吧台」的涵義。

搬到新家的吃蛋吧，店內空間是由熟客變朋友的室內設計師免費設計的，非常了解 Ellen 對於吧台的堅持；黑板牆上的塗鴉是客人、也是 Ellen 大學學弟妹幫忙完成的；就連在吧台幫忙的小弟，也是從熟客招來的…開朗健談的 Ellen，似乎不與客人搏感情就渾身不自在。

回味無窮的香嫩蛋捲

吃蛋吧以多種口味的煎蛋捲而聞名，熟成恰到好處的蛋汁與起司融合在一起，香嫩可口的滋味讓人回味無窮。建議選擇早午餐組合套餐，可任選一種蛋捲，搭配裹上奶油的土司、煎得焦香的培根或香腸，更少不了薯條或刨成細絲組合起來的手工薯餅，以及用當季水果製成的水果優格，早午餐組合不但有飽足感，更強調均衡的營養。

除了煎蛋捲，墨西哥風味餐點也很道地。Ellen 說有一位客人是生長在西班牙的華人，每次來到這兒，一定專吃墨西哥菜，或許是因為這樣的拉丁風味能稍解她的思鄉病吧。菜單上還有一道有趣的甜點：超讚巧克力蛋糕加冰淇淋，加熱的布朗尼淋上熱熱的、濃郁的巧克力醬，上面再擺上香草冰淇淋，冷熱交替的滋味，顧名思義，吃起來真的超讚的。＊

吃蛋吧 Omelet to Go
add 台北市光復南路473巷11弄40號
tel 02-2720-8782
time 週二~五11:00~14:30、17:00~21:30（最後點餐20:30），週六、日9:00~17:00，週一休。
price 早午餐組合250元

01平日早午餐組合，後方的是墨西哥牛肉捲。02吧台是吃蛋吧最重要的空間03超讚巧克力蛋糕加冰淇淋04吃蛋吧可愛的招牌

晨光限定

菜單上的餐點全天候供應，另有平日早午餐組合，提供營養均衡又飽足的選擇。假日則有特別的早午餐組合，每週都有新點子，如果想知道當週菜式，可以上Facebook「吃蛋吧」粉絲團，查看「今日早午餐」，往往會有意想不到的驚喜。

向 The Brunch·敦南店

名媛貴婦的風格美食夢

text 洪禎璐　photo 小兆

01

向 The Brunch 如夢似幻的紫白色公主風用餐空間，和滿屋的淡雅花香，讓人感覺就像是備受寵愛的貴族仕女，使得許多女性顧客深深為它著迷。

提供各式歐美精緻料理的向The Brunch，主打全天候供應的早餐和早午餐，囊括義式、墨式、歐陸式、英式和美式餐點，全都是根據當地早餐特色設計而成的。例如：英式早餐一定要有燉白豆、馬鈴薯、炒磨菇，歐陸式早餐則融合瑞士的起司和瑞典的鮭魚等食材，設計出符合國人口味的套餐組合。

異國精緻早午餐

尚老闆娘認為，只要食材好，烹調就輕鬆簡單。因此，店內所有的食材都經過精挑細選，從生菜沙拉、帶皮火腿到香腸，全都是從國外進口的道地優質食材。此外，咖啡使用奧地利Julius Meinl頂級咖啡豆，附餐果汁則是最多人能接受的Tree Top蘋果汁，而不是常見的柳橙汁，更可見老闆娘的用心。

店內的早午餐講求豐盛、健康。義式向特製早午餐是以法國香檳或蔓越莓優格冰沙，搭配雞蛋派、沙拉、三種歐式麵包、今日例湯、奶油燉飯、法式犢牛排、水果奶酪和附餐飲料，在精緻、豪華之外，吃起來清爽、不膩口。班奈迪菠菜起士蛋堡，則包含英式馬芬麵包、菠菜、水波蛋、有機生菜和炸薯塊，以清爽沙拉調和了巧達起司奶黃醬的濃郁口感，十分美味。

浪漫典雅的紫白空間

尚老闆娘從事餐飲業已十多年，向來喜歡西餐的健康、不油膩。她認為早餐是一天中最重要的一餐，卻沒有人重視它，因而興起將其精緻化的想法。於是，她前往峇里島、夏威夷等度假天堂，吸取當地匯集各國料理的早午餐精華，再融入女性獨有的浪漫特質，開創了主打早午餐的餐廳。

她在店內大膽運用紫色牆面，搭配大量的白色桌椅和地磚，再穿插藕紫色沙發靠牆椅和薔薇花樣的淺綠色高背沙發，搭配樓梯間的白紫水晶吊燈，讓整個空間看來乾淨、典雅又高貴。

玄關的玻璃花瓶和餐桌上的方型矮玻璃花瓶裡，也都插著老闆娘親自到花市選購的粉嫩鮮花，為整個空間更添柔媚氣質，懷有公主夢的女孩們一定會愛上它。 *

向 The Brunch · 敦南店
add 台北市敦化南路一段236巷18號
tel 02-8771-8258
time 週一~五10:00~23:00，週六、日8:00~23:00。
price 套餐約350元~540元

01紫色風格的餐廳，看起來份外柔美、浪漫。02餐桌上的鮮花擺飾03豪華的特製早午餐裡有犢牛排04二樓空間更為粉嫩05紫色菜單

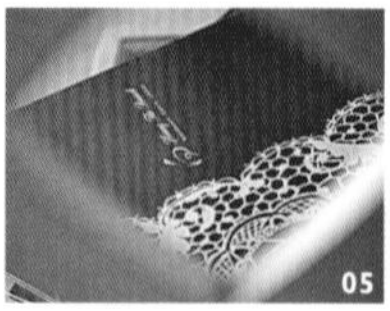

晨光限定
精緻的歐陸Brunch全天候供應，可以悠悠哉哉地享受浪漫的用餐空間，和豐富健康的餐點。最受到顧客喜愛的是英式早餐，風格清爽卻又絲毫不膩口。

樂子 The Diner・瑞安店

料好實在的美國家鄉味

text 洪禎璐 photo 小兆

01

沒有複雜、豪華的裝潢，樂子 The Diner 以簡單的自然色系空間，襯托味道濃郁的美式早午餐，每天一開門就有饕客準時報到，不到一小時就高朋滿座，排隊等待用餐更是常事。

因為在美式連鎖餐廳打工而認識，並結為夫妻的劉先生和杜小姐，體認到作息不正常的現代人，很需要能吃得飽足的早餐，便開創了以美式簡餐店為藍本的樂子 The Diner。店內提供道地美式料理，並供應無限續杯的美式咖啡和紅茶，連外籍人士都很愛來此尋找家鄉味。

美國當地一定會有的料理

在開店之前，兩人沒有雄厚的本錢可前往美國實地探訪，便透過無遠弗屆的網路資訊及原文食譜，來實現這個夢想。直到開店兩年後，兩人才有機會親訪美國，而他們也趁機嚐遍各知名簡餐店的餐點，作為調整店內菜單的養分，像是美國人最愛用的酪梨，還有鮮果法式吐司，便從此成了菜單的一份子。

兩人對於食材十分堅持，在供應商送來新鮮食材後，從漢堡肉、薯餅、糕點到醬汁，全都是店家親手製作的。像是漢堡肉使用純牛肉加上鹽、胡椒調味，吃起來味道濃郁又多汁。薯餅是將馬鈴薯刨成絲，揉組成長方形塊狀後，再以火煎熟，有著外酥內軟的獨特口感。

有感情溫度的餐點

蕃茄培根班尼迪克蛋是店內的招牌之一，微酸的荷蘭醬淋在半熟水波蛋上，再配上煎得焦脆的培根、略為煎過的牛蕃茄、鬆軟又Q嫩的英式馬芬，色香味俱全，口感層次十分豐富。以菠菜、磨菇和味道濃郁的鹹味費達起士為內餡的希臘蛋捲，異國風味十足。喜歡清爽輕食的女性朋友，可以選擇優格水果杯早餐，豐富的水果種類能補給足夠的美麗元素。

此外，樂子 The Diner 也很重視客製化需求，在菜單上就直接註明「讓我們製作您的專屬早餐」，不僅蛋捲可自行添加配料，甚至因應客人需求還誕生了全蛋白蛋捲。難怪這裡的常客會說，這裡的食物吃起來很有感情。

店內牆上掛了許多黑白照片，這些照片可不是為了裝飾而隨便買來的。因為杜小姐很喜歡老照片，所以會到各拍賣網蒐集，不過還有一整排的照片是加拿大籍常客 Creg 在此展示的攝影作品，如果你喜歡，也很歡迎購買。

＊

樂子 The Diner · 瑞安店
add 台北市瑞安街145號
tel 02-2700-1680
time 週一～五10:00~23:00，週六、日9:00~23:00。
web www.thediner.com.tw
price 約180元~280元

01優格水果杯早餐適合愛美的女性02感覺很能夠放鬆的美式櫃檯風格03牆上掛的都是店主喜歡的黑白老照片04店內提供無限量續杯的美式咖啡和紅茶05希臘蛋捲包藏味道濃郁的鹹味費達起士

晨光限定

為了順應現代人生活節奏多變的特性，樂子全天候都提供Brunch服務，不論在任何時段，想吃早餐的時候都不會讓你失望。最貼心的是還能依照顧客的喜好製作專屬的早餐，例如蛋捲內的配料就可以自行增減或變換。

溫德德式烘焙餐館

堅持道地口味的德國觀點

text balthus　**photo** 周治平

01

03

02

「有麵包的香味我會很開心！」對從小就熱愛烘焙的麥克．溫德來說，麵包好像他的香水一樣，在早上聞到麵包的味道就很振奮人心，感覺很快樂。

天母的溫德德式烘焙餐館，可以說是天母當地的小地標，提到這間餐館，很多天母居民都會笑著說：「啊，我知道那裡！」很堅持德國烘焙和餐飲原則的餐館，最重要的靈魂人物就是開創這裡的老闆：麥克・溫德（Michael Wendel）。

血液中的烘焙基因

出身德國的烘焙家族的麥克・溫德，曾於豪華郵輪擔任烘焙工作，因受聘至華航空廚擔任烘焙點心主廚而來到台灣。他從小就熱愛烘焙，幾乎可說是天性。他的祖父開啟家族的烘焙事業，麥克對於烘焙的愛好，就像是身體的基因，麥克回憶：「很早很早、大約三歲的時候，我的爸爸、媽媽就幫我做了一套麵包師傅的衣服；幼稚園放學以後，他們就給我一個可以搆到桌子的小椅子，讓我在上面玩麵粉。」對他來說，麵粉就好像其他小朋友的黏土般充滿樂趣，「小朋友是到海邊玩黏土，我是在玩麵粉！」

德式風味不妥協

德國麵包最大特色就是用很自然的成分、很多的穀類，而且一定要用酸麵糰。溫德德式烘焙餐館的酸麵糰現在十八歲，師父要一直「養」它。麥克說：「有時候，因為台灣天氣的關係，酸麵糰品質不好，還要從德國寄過來。」麥克認為德國的穀類麵包不但可以刺激消化，因為很高纖，甚至可以減肥！麥克說：「一般麵包油的比例是百分之二六，糖百分之二十到百分之二四，一整個麵包有百分之五十都是油和糖。我們的麵包，即使是甜麵包，也只用百分之四到百分之八的糖。」麥克在用料上也很堅持，例如：一般麵包店是用白油，麥克就一定要動物油。「要做一定就要很純正（authentic）。這是一件很簡單的事：做對的事情。要是台灣沒原料或沒辦法從德國取得，就不要做。我不要妥協。」

麥可的身影總是出現在麵包坊和餐館裡，常到溫德德式烘焙餐館的客人都知道穿著白色廚師服的麥克總在一角靜靜坐著，觀看整場動態。如此認真，不僅是經營的原則，也來自於麥克・溫德可說是與生俱來的烘焙之愛。＊

溫德德式烘焙餐館
add 台北市天母德行西路5號
tel 02-2831-4592
time 7:30~23:00，早餐7:30~11:00。
web www.wendels-bakery.com
price 早午餐約140元~265元

01現烤德國豬腳是很受歡迎的菜色02麥克．溫德出身德國烘焙家族03用料實在而講究的德式蛋糕04高纖的德國穀類麵包05左前方的麵包是德國麵包店的標誌

05

04

晨光限定
麵包每日七點陸續出爐，七點半過後就可以買到香噴噴、熱騰騰的麵包了。如果想慢慢挑選麵包，可以十點半以後再前往，此時種類齊全，可以隨心所欲選擇。附帶一提，人氣餐點「德國豬腳」現在只有晚餐提供，且要提前預約。

Forty Café
綠園道旁的養生餐食

text 洪禎璐　photo 黃裕順

01

03

02

挑高落地窗引入對街的綠園道風景，在時尚簡約的紫白色空間裡，沒有菜單，只提供菜系，每週變換不同菜色，新鮮感十足。

堅持早餐一定要吃得豐盛，也有感於台灣的早餐店不是太過速食、簡單，就是太過精緻、昂貴，為了創造美好的早餐氛圍，原本從事進口業的姚小姐在面臨人生轉折之際，開創了 Forty Café。Forty 指的是她轉型的年紀，也就是「女人四十一枝花」的美麗紀念。

紫色時尚空間

Forty Café 僅佔據住宅大廈一樓長排店面裡的其中一個小區塊，沒有過於招搖的招牌，首次來訪可得張大眼睛注意，才不至於錯過了。挑高落地窗上，間隔點綴金色鏤空長條窗貼，讓引入室內的綠意也有了層次之別，或清晰透亮、或隱約若現，讓窗景也變得有趣。

面窗吧台以籐背高腳椅呼應窗外的自然樸質，一樓空間以紫色為基調，搭配輕盈感十足的白色和淺大地色彩，閣樓則大膽以紫色牆面和

晨光限定

早午餐的主菜菜色從早上八點供應到下午兩點。然而當時間進入十一點，早午餐變成午餐之後，主菜份量就會加倍，好讓來客能吃得更飽足，這時若想要點選早午餐也是可以的。

04

01講求養生又豐盛的早餐02二樓是有如Lounge Bar的深紫色空間03面窗吧台藤椅座位04主菜每週更換不同肉類與醬汁

01

03

02

地板點綴白色彩繪花樣，加上黑色流蘇，濃郁的色彩散發 Lounge bar 的慵懶氛圍。

姚小姐表示，選擇紫色，其實不是因為喜歡紫色，而是因為紫色是複合的顏色，散發紅藍互相搭配的美感，就像她在四十歲轉型開店時，也經歷了很多人生階段。

健康家庭廚房

姚小姐十分認同莊淑旂所提倡的養生法，也曾身體力行過，卻深深覺得每天早上要準備這麼多食材，實在很困難，而這也成為她開 Forty Café 的動力之一，以健康的家庭廚房概念來設計餐食，連廚房格局也跟家庭一樣小小的。廚房就位在吧台後方，空間不大，然而老闆娘和店員卻可以有條不紊、安靜優雅地在狹小空間裡準備料理，絲毫沒有一般廚房會有的吵雜紛鬧印象。

這裡的套餐菜系包括現打果汁、生菜沙拉、五穀飯、主菜和餐後飲料，也可選擇附有濃湯和麵包的套餐。現打果汁採用三種以上的當季水果，只加入少許白開水打成汁，口感十分濃稠。生菜沙拉裡至少有六種以上的新鮮蔬果，每週更換醬汁口味。濃湯搭配的是台中知名的堂本麵包。而每週更換的主菜，海鮮和肉類各一道，週週所採用的料理手法和醬汁口味皆不同，全都是愛煮菜的姚小姐自己研發設計的。

姚小姐說，餐廳空間刻意融入綠園道的環境，把悠閒氛圍帶進店內，讓來客能夠吃得很放鬆，營養也就容易被人體吸收，來到這裡，是要花一些時間吃早餐的。＊

04

05

Forty Café
add 台中市公益路155巷88號
tel 04-2302-8627
time 早午餐8:00~11:00、午餐11:00~14:00、下午茶14:00~18:00、晚餐18:00~20:00，週日、週一不供應晚餐。
web fortycafe.myweb.hinet.net
price 早午餐200元或250元

01大面落地窗引入綠意和光線02生菜沙拉裡有六種以上的生菜03菜色都是由老闆娘親自研發04一樓以淡雅的白與淺褐為基調05二樓適合一群好友共享美味

斐麗生活

悠閒歐風裡的晨光蔬食

text 洪禎璐　photo 黃裕順

01

03

彷彿重現歐洲街角咖啡廳風情，在綠意盎然的空間裡，品嚐自然美味的蔬食料理，一日健康之計就從早晨開始。

02

小小庭院裡花草扶疏、綠藤攀棚，斐麗生活是台中知名蔬食餐廳——斐麗巴黎廳的姊妹店，同樣以蔬食料理出發，但不同於斐麗巴黎廳的華麗典雅，斐麗生活走的是歐洲鄉村的悠閒風情。

歐風綠意情調

坐落在寧靜住宅區的街角，滿庭白色馬纓丹、紅玫瑰和香草植物包圍著米白色二層樓建築，窗台上的同色系圓弧形窗棚、葡萄藤和百香果棚架下的戶外用餐區，門口還有一座歐洲電話亭，斐麗生活把歐洲鄉間情調原汁原味在此展現，讓人一踏入就有置身歐洲的錯覺，唯有偶爾望向街景，才會突然記起自己身在台灣。窗景也有美麗的角落，綠藤不知何時已攀上屋前的黑板樹，透過葉縫還能望見小鳥在枝頭上跳躍的身影；偶爾也會發現有紫色圓心的白色百香果花，孤然綻放於綠藤之上。

走入屋內，裝飾壁爐上的古代帆船模型，與引入庭院綠意的大片窗景相互呼應；以典雅木質桌椅搭配鄉村風桌布，點綴牆上的歐洲風情

晨光限定

早餐從七點開始供應到十一點，中餐和晚餐供應的是另一套菜單。早餐推薦的料理有里昂式起司蘑菇煎餅、法式香煎乳酪三明治和法式油醋沙拉堡，每樣都令人垂涎三尺，其中沙拉堡使用的是自家製作的德式裸麥麵包。

01法式油醋沙拉堡使用自家製作的德式裸麥麵包02安靜閒逸的鄉村風03洋溢歐洲街角咖啡廳風情04讓心沉靜的角落

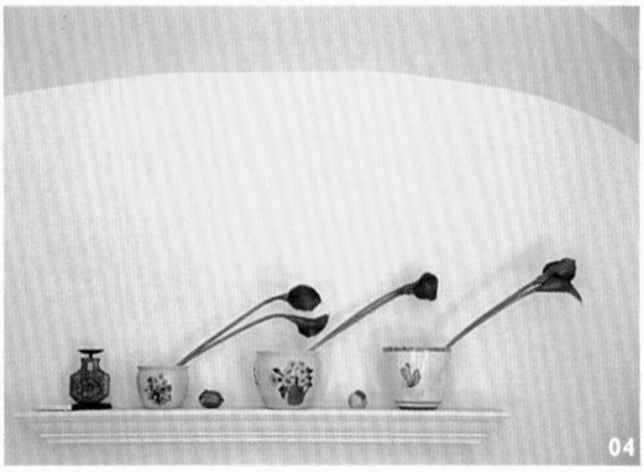
04

和花草靜物畫作，歐風情調油然而生，卻不過分喧譁，讓人感覺舒適自在。

與宗教相關的書籍在二樓平台櫃上或有出現，除此之外並沒有濃郁的宗教氣息，原來身為老闆也是主廚的廖經理，是為了健康才開始吃素，以法義料理經驗，期望跳脫民眾對吃素的刻板印象，創造與眾不同的健康蔬食料理；同時也尊重宗教信仰，不使用洋蔥、蒜等味道較刺激的五辛食材。

自然健康蔬食

廖經理表示，台灣素菜使用太多豆類又過度油膩，其實並不健康。因此，店內料理從健康角度切入，堅持不加素料、不使用再製品，採用有機或安全農作的食材；避免煎、煮、炒、炸，使用不過度烹調的地中海料理法，以保留食物原味和營養素。

他也特別提到，以前做法義料理時，總是專注在高單價的肉類食材上，而不注重其他配菜，但其實配菜也很重要，所有食物在自然界中的地位都是相等的。因此，店內每

01美味可口的法式香煎乳酪三明治02&03白色馬纓丹營造優雅的綠意世界04葡萄藤下的戶外座位05像家一樣舒服的歐風空間06大量採用有機或安全農作蔬菜07讓人飽足的大份量

05

04

道料理的食材皆採少量多樣的組合方式，主菜和部份甜點也都會加上蛋，讓營養更均衡。

雖然是掌控爐火的廚師，廖經理對烘焙和甜點也有涉獵。因為訂製麵包無法達到他的要求，大部份的麵包都是由店內親自製作，還特別加入老麵團發酵，口感紮實、充滿雜糧香味，值得慢慢細嚼品味。

早餐份量相當豐盛，可與午餐比擬，從三明治、沙拉堡到煎餅，選擇十分多樣。不可少的餐前精力蔬果汁裡，包含芽菜、鳳梨、蘋果、紅蘿蔔和白芝麻，也加入蕎麥、薏仁或黑豆等穀類，營養滿分。＊

07

06

斐麗生活
add 台中市北區青島路三段115號
tel 04-2237-9101
time 早餐7:00~11:00，午餐11:30~14:00，午茶14:00~16:30，晚餐17:30~22:00。
web www.feeling.com.tw
price 早午餐約120元~200元

LESSON ONE

晨間幸福第一課

text 洪禎璐　photo 黃裕順

01

隨處可見的手繪圖案陪在身旁，悠閒享受豐盛的早午餐，偶爾傳來對街學校的鐘聲，這裡總是洋溢著歡樂氛圍。

這是一群在餐飲業服務的朋友所談及的夢想，當時正逢精明一街興起，大家笑談要把店開在同一條街上，以LESSON ONE、LESSON TWO…命名。雖然朋友間只有Phoebe和主廚一起實現了這個夢想，他們還是決定以LESSON ONE命名，代表著自己開的第一家店，也有早餐是每天第一課的寓意。

溫馨歡樂空間

走入位在轉角的LESSON ONE，一整面牆的手繪感圖案、輕柔的粉藍綠色調，讓店內洋溢著青春氣息，其他如小壁貼、盤子，也都有手繪感圖案在上頭，所展現的完全是Phoebe喜愛的風格。

其實，Phoebe就讀的是醫務管理科系，當時她白天在醫院實習，晚上在餐廳打工；醫院裡的悲傷氣息與餐廳裡的歡樂氛圍形成強烈的對比，讓她下定決心要在餐廳上班。

等待開店的時機成熟，他們回想起出國旅遊時，最記得的總是享用早餐的悠閒時光，再加上深感餐飲業的下班時間很晚，起床時多半已吃不到早餐，只能選擇油膩的午餐，所以決定開設早午餐店，讓大家一整天都吃得到清爽早餐。原本一開始是早上七點就開賣，但趕著上班的客人總希望能像其他早餐店一樣，預先做好三明治，拿了就可以走。但是他們希望走入店裡的，是能好好享受早餐時光的客人，因此反而將開店時間延後到八點。

麵包輕食餐點

主廚雖然不是餐飲科班出身，但因為愛吃又愛做菜，開店前也努力跟著廚師朋友人學習，手藝一級棒。廚房裡還有特殊的文化，就是允許工作人員邊做邊吃，因為主廚堅信，「吃飽才好做事。」

早午餐多半屬於麵包輕食類，搭配大量生菜，也有具飽足感的義式手工肉排和香煎雞排可供選擇。除了採用精挑細選的麵包、自家特調醬汁之外，主廚也跟送菜廠商搏感情，讓菜商每天到西螺蔬果市場載菜時，還會特別打電話通知有什麼新的蔬菜。附餐沙拉裡，最特別的就屬涼拌蒟蒻，搭配酸和風沙拉醬，既有口感，又不會對身體產生負擔，是健康又美味的極品。＊

LESSON ONE
add 台中市西區市府路23號
tel 04-2223-6600
time 8:00~15:00
price 早午餐套餐約159元~249元

01份量十足的美式早餐組合02新鮮蔬果都來自西螺批發市場03以可愛小掛畫增添溫馨感04隨處可見的手繪壁貼讓人會心一笑05豐富多樣的菜單選擇

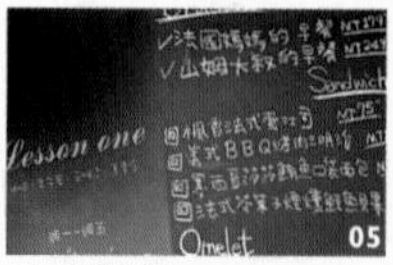

晨光限定
早午餐全日供應到下午三點，各種具飽足感的麵包輕食組合任君挑選，連夜貓子也能享用到美味的早午餐。

Michino Diner
美式鄉村的悠閒時光

text IR　photo 何忠誠

01

03

02

兩位七年級生，一個餐飲夢，經過無數努力、奮鬥的苦日子，終於讓夢想的種子發芽，Michino Diner就是在這樣的堅持下產生。

開店一年多的 Michino Diner 在非用餐時間的下午仍門庭若市，客人或看著報紙，或悠閒地聊天用餐。若是鏡頭停格，美式鄉村風格的店面和店內悠閒、自在的氣息，有讓人誤以為真的在美國哪個鄉村餐廳的錯覺。

只是因為愛做料理

店長 Vicky 是個嬌小而年輕的女生，但只要聊到 Michino Diner 的創業故事和料理精神，可愛的外表馬上出現堅定而專業的眼神。當初和身為廚師的男友希望將北部盛行的美式早午餐引進高雄，男友辛苦地在北部拜師學藝，Vicky 則負責管理和行銷等工作。

開店初期尚未有知名度時，面對好一陣子入不敷出的困境，兩人晚上還需要兼職打工。Vicky 回想起那段篳路藍縷的日子，全靠著熱情化危機為轉機，在努力不懈的調整和用心聽客人聲音的堅持下，因媒體、部落格的報導及好口碑的口耳相傳，讓坪數不大的兩層樓店面現在每天從早到晚都生意興隆，週末假日用餐還需排隊，一位難求。

店裡全天候供應早午餐，除了常見的美式早午餐之外，店內人氣招牌「墨西哥早餐捲」則是主廚針對台灣人口味在食材和搭配上不斷調整所做出來的料理，墨西哥麵皮捲上美式炒蛋、洋蔥、青椒、紅椒、培根等餡料，最後融入起司，一捲墨西哥捲在手，放進嘴巴滿是豐富又幸福的味道。

堅持的力量激發無限可能

兩人為了 Michino Diner，從店內的設計、食材的選擇和部落格行銷全都一手包辦。Vicky 和男友會一起租美式電影來看，只為了吸收更多美式餐廳的擺設和裝飾，看到喜歡的場景就馬上暫停電影，兩人在定格的螢幕前討論如何將更多美式的元素注入店裡。

為了顧及客人的健康，店內嚴選使用的食材，雞蛋使用屏東農場的有機雞蛋，火腿和香腸則選擇由歐美進口。Vicky 謙虛地說，唯有一步一腳印認真地做，才能逐夢踏實，細心呵護著他們兩人好不容易建立起來的夢想果實。 *

Michino Diner
add 高雄市新興區大同一路79號
tel 07-216-2290
time 10:00~22:00
web www.wretch.cc/blog/michino0720
price 早午餐約150元~280元

05

04

晨光限定

Michino Diner的早午餐全天候供應，不管是工作天還是週末天，不管幾點起床，來到這裡都能滿足渴望一份美式早點的味蕾，包含一杯季節新鮮果汁、餐點和茶或咖啡，份量十足。

01全天候供應的Brunch是Michino Diner的招牌02墨西哥早餐捲深受消費者喜歡03用餐環境悠閒舒適04熱門時段人潮總是絡繹不絕05店內營造的美式風格裝飾完全出自兩位七年級老闆之手

Tea Time
午後的慢速時光

午後，帶著可貴的閒情逸致，
品茗你的午茶時光…

JR

Salon de The Joël Robuchon
眾星拱月經典法式

text 李芷姍　**photo** SAM

01

02

融合法國宮庭的華靡與浪漫，法式點心將人們對甜點的慾望推上頂點。放縱味覺，享受奢侈的滋味，浸淫在法式甜點所帶來濃膩而甜蜜的幸福感中。

挾帶史上最多顆星星的耀眼光芒，世紀名廚 Joël Robuchon 帶著旗下甜點沙龍 Salon de The Joël Robuchon 進駐貴婦購物中心 BELLAVITA。企圖向方興未艾的台灣法式西點界，展現經典與正統的風範。

Salon de The Joël Robuchon 其實並非想像中那樣高不可攀，大師當初在規劃品牌時，便將它定位為能夠輕鬆聊天、享受悠閒午茶的雅致沙龍。黑紅色調的時尚裝潢沿襲餐廳的一貫風格，都會風揉合高級感，透露出一股雅痞的調調。

大師級甜點饗宴

貴婦的午茶除了用來果腹的麵包輕食，重頭戲自然就是各種精巧、細緻的點心了。巨大的點心櫃從日本特別訂做，分成放蛋糕的冰櫃以及刻意控制濕度，用來存放派皮與馬卡龍的常溫櫃。櫃中繽紛精美的蛋糕，有的堆滿鮮豔欲滴的莓果，有的則精雕細琢如同珠寶精品，每個糕點彷彿爭奇鬥妍似地，頻頻引誘著造訪的顧客。

由大師欽定來台的行政甜點主廚成田一世，正是這些精巧甜點的創造者。他曾擔任東京惠比壽及紐約分店的最高行政甜點主廚，以獨到的美感和精湛手藝，將 Joël Robuchon 的甜點美學發揮到極致。為了發揮 Joël Robuchon 的水準，店裡在員工訓練和基本功的要求特別嚴格，至於對食材的講究程度更是近乎苛刻：香草要用馬達加斯加的進口豆莢，開心果必須是產自西西里的帶皮特選種，巧克力更是由獨家引進的百分之百醇黑巧克力來製作。一切要求，都是為了將正統法式風味與工法，傳達給台灣的顧客。

慢速限定

午茶套餐供應時段從上午11點到晚上8點，雖然沒有無線上網服務，但是可以在黑紅色調的空間裡，不受時間限制地享受屬於自己的低調奢華，在精緻法式點心的包圍中，過足優雅緩慢的貴婦癮。

04

03

01黑紅色調的甜點，流露出一股雅痞調調。**02&03**麵包與糕點的陳列彷彿裝置藝術**04**行政甜點主廚成田一世是大師的得意弟子

01

擁抱浪漫的巴黎午後

Joël Robuchon 最著名的甜點，莫過於一顆顆渾圓飽滿的馬卡龍了。店內的馬卡龍製作過程上別有用心，可是其他師傅怎樣也學不來的。薰衣草、橘子、焦糖、堅果等各種風味與顏色的馬卡龍中，都加入了大師秘製的奶油醬，奶油醬裡濃厚滑嫩的堅果風味首先就叫人折服了，吃到中心還有配合每種口味，以多道手工精心製作的內餡，將每個馬卡龍的獨特風味再次畫龍點睛地提出來，小小馬卡龍帶來的絕妙層次感，讓人真有目眩神馳的感覺。

Salon de The Joël Robuchon 的蛋糕則是比較綿密、濃郁的風味，和坊間大走日本風格的甜點不太一樣，這裡的甜點每一口都吃得出濃厚的食材、厚實的風味，榛果焦香、水果清香以及巧克力濃香等滋味，融合綿密甜美的蛋糕、奶油在口中化開，直沉入胃底。

如果說日風法式甜點為拂過頰邊的輕吻，那麼 Joël Robuchon 的蛋糕無疑就是深沉而令人銷魂的法式熱吻吧。 *

Salon de The Joël Robuchon
add 台北市松仁路28號BELLAVITA 3樓
tel 02-8729-2626
time 10:00~22:00，週末假日10:00~22:30。
price 兩人套餐1040元~1200元

01Joël Robuchon的馬卡龍，台灣店推出芝麻新口味。**02**黑紅色調展現時尚都會風格**03**落落大方的座位設計

朵兒咖啡館
用一杯咖啡換三十六個故事

text Mori **photo** Alan Lin

01

02

如果你也正在尋找一個咖啡館，它要是獨特卻溫暖、讓你可以自在呼吸的，「朵兒咖啡館」會十分適合你。也許有天你真的能夠用一個故事來換杯咖啡，畢竟生活裡的可能性，總是遠多於電影中的情節。

04

03

朵兒：「在這個城市裡，一定有一個人正在尋找骨瓷，也一定有一個人心裡想幫他的骨瓷找到對的位置，一定有人多了沙發，也一定有人少了沙發，只是還沒找到彼此而已。這就是城市，這就是城市日復一日的故事。」

聚集來自四方的故事

「朵兒咖啡館」的吧台上，有個小小的木質相框，其中放的不是照片，而是上面這段出自電影《第三十六個故事》裡的文字，用含蓄的方式告訴你，你正身在《第三十六個故事》主要場景中。電影裡，咖啡館的主人是對個性各異的姐妹，性格柔軟的姊姊是朵兒、妹妹薔兒則是好惡分明、敏感而剛烈，因緣際會下，兩人在「朵兒咖啡館」展開「以物易物」的活動，想喝一杯咖啡的代價不是金錢，你可以用任何東西來換，甚至是一個故事。於是，越來越多的故事加入「朵兒」，有關於台北的、記憶的、愛情的…聚集這些感動，使咖啡館成為讓人能放鬆、感覺安全的溫室，養護著來自四方的故事。

慢速限定

不論室內或室外都提供無限上網服務，你可以在戶外享受陽光透過樹蔭照射下的微溫，也可以移進土耳其藍色室內，踩著溫潤的木質地板，坐在舒適的坐椅上品嚐店家自製的精美點心，永遠不會有困乏的時候。

01將電影場景如實呈現的朵兒咖啡館**02**馬賽克加上土耳其藍，為朵兒帶來些許異國氣息。**03**粉紅胡椒鳳梨果醬**04**溫潤的空間，待再久都很舒服。**05**任誰也看不出這裡曾是荒廢十多年的公寓

05

為了尋找能真實傳達人物、劇情的場景，《第三十六個故事》劇組花了兩個多月的時間到處勘景，最後才選定在自己工作室隔壁、荒廢十多年的公寓一樓，從零開始打造「朵兒咖啡館」，電影殺青後，導演工作室也決定將咖啡館留下來，將電影場景拉進大家的現實生活中，為富錦街多添了一分美麗。

踏著電影步伐

行經「朵兒」的門口，即使還沒看過電影，你也絕對會停下腳步。陽光透過尚未泛紅的翠色楓葉，在咖啡館前院裡映出錯落樹影，木質桌椅也因為太陽照射，散發著暖暖微溫。推開土耳其色木門，溫潤的木質地板、吧台，展現了如女孩般的溫和、細膩，幾片藍色牆面則像一道道擁有綺想的任意門，彷彿可以穿越它到遠方去；靜下來欣賞白色牆面上的手繪樹木，似乎也正在與窗外富錦街上的楓香樹對話，傳說他們之間的秘密。走過水晶燈的柔光、馬賽克地板，再往咖啡館裡頭探，還有座透下自然天光的中庭，偶爾貓咪會從透明的天棚溜

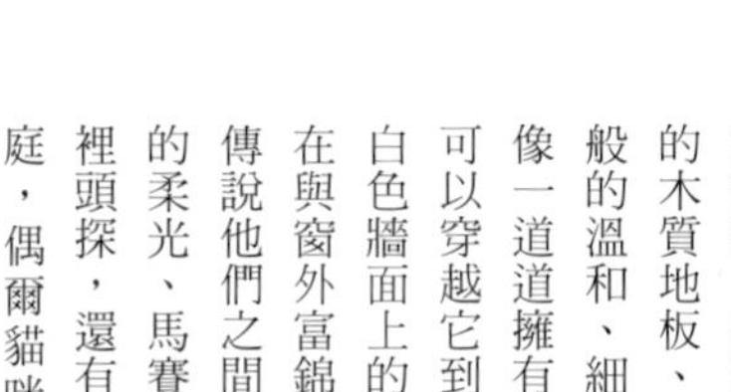

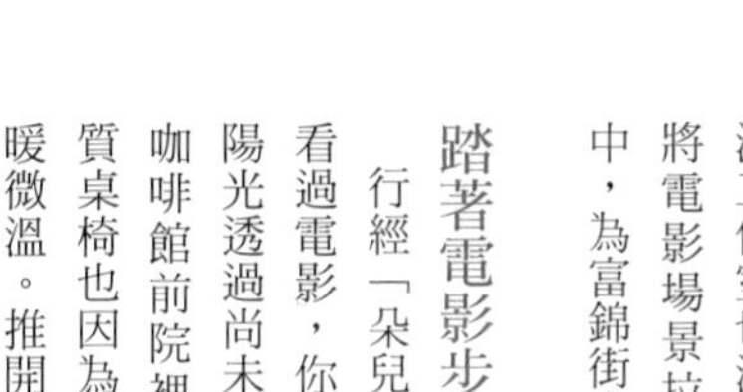

01在院子裡盡情享受微風02這裡的甜點每天都有變化03店家自製的美味糕點04牆上掛有記錄著電影《第三十六個故事》的花絮相片05朵兒門外，就像一個溫馨小屋。06推開土耳其色木門，進入歡迎各種異想的新天地。07咖啡館內的寧靜氛圍

04

過，靈巧身影和達達的腳步聲，加上大木桌上擺著的原石西洋棋盤，形成了一股遊戲般的奇趣氛圍。

除了氣氛迷人，「朵兒咖啡館」提供的咖啡、餐點也很用心，和電影裡的朵兒一樣，工作人員也會在圍著大片透明玻璃的烘焙室裡現做餐點，每天的甜點都有變化，唯一不變的是店裡供應的「朵兒果醬」，這是當初劇組特別請師傅在看過劇本後，依據朵兒的角色性格設計出來的獨家果醬，加入了粉紅胡椒的鳳梨果醬，酸甜裡散發著高雅、芬芳，卻帶點刺激的味道，十分特別。 *

05

07

06

朵兒咖啡館
add 台北市富錦街393號1樓
tel 02-8787-2425
time 13:00~22:00
price 低銷100元

Micasa Dolci
豐饒繽紛 甜點交響曲

text 李芷姍　**photo** 莊明穎

01

04

03

02

05

去過高級日本料裡店 Micasa 的顧客，幾乎所有人都會對那華麗豐盛的飯後甜點讚不絕口。彷彿盛宴結束後的煙火一般，征服所有老饕與貴客胃口的精美甜點，終於一躍成為餐桌上的主角，在新開幕的甜點專賣 Micasa Dolci 中大放異彩。

是怎樣的甜點，能迷倒一大票吃慣美食的貴婦，又是怎樣的手藝，讓法式點心變成色彩鮮艷奪目的藝術品？Micasa 的甜點主廚嘉手納慶一，運用無限創意與感性，讓甜點展現出一場酸甜交加、五彩紛呈的味覺饗宴。

日籍主廚秀創意

歷經東京代官山高檔餐廳、青山 Nobu 甜點主廚，並在 Micasa 坐鎮經年的主廚嘉手納慶一，不僅在 Micasa Dolci 重現歷年最具口碑的經典甜品，並推出各種傳統法式點心。不知道是否因為嗜吃甜食的人大多為女性的緣故，店內裝潢多了幾分柔美。普普風活潑跳躍的花卉圖樣，為大理石桌面與白色基調的沙發、牆面染上亮眼色彩，令人聯想到村上隆與路易威登的結合，典雅中散發出繽紛喜悅的氣氛，彷彿置身在夢幻的甜點花園裡。

到 Micasa Dolci 一定不能錯過僅供內用的主廚特製甜點，嘉手納主廚把點心當成是一道完整的作品，呈現給顧客的大盤子上，從主角的點心、配角的冰淇淋、水果，到提味的醬汁、榛果，以及裝飾用的糖花、糖粉、香草等，樣樣不缺。因此點的明明是酥烤水果派，但端上桌的卻是熱水果派上堆滿肥碩的新鮮水果、當日現做冰淇淋、覆盆莓醬汁，以及晶瑩糖花的豪華餐點。

多層口感魅力無法擋

如此繁複的擺盤，一不小心就會造成喧賓奪主的窘境，然而主廚卻讓食材風味相輔相成、不起衝突，同時替味覺帶來更多層次和驚喜。像是酥烤水果派以覆盆莓的清爽酸味化解派皮的油膩感，而派中熱烤水果的綿密風韻與新鮮水果的香甜多汁相互交融，加上刺激舌尖的冰淇淋，多重口味好似在口中奏起盛大的交響樂。

另外，冰淇淋也是 Micasa Dolci 的要角之一。要價近百萬的冰淇淋機創造出來的，是綿度適中、果香馥郁的清爽口感，嘉手納主廚發揮創意，用頂級食材作出水梨、黑醋栗、烤蘋果等數十種讓人口水直流的口味，還有芋頭、黑橄欖、豌豆等創新口味，等待顧客來發掘甜點世界的無限奧秘。＊

Micasa Dolci
add 台北市仁愛路4段462號
tel 02-23457669
time 11:30~20:30，無休日。
price 套餐330元~470元

01酥烤水果派**02**薰衣草、奶油起司、柑橘巧克力等多種口味的馬卡龍**03**草莓冰淇淋中加了胡椒粒提味**04**日式豌豆冰淇淋和抹茶凍、花生凍、黑蜜、蜜紅豆交織成絕妙滋味。**05&06&07**繽紛的用餐空間

07

06

慢速限定

Micasa Dolci不僅甜點繽紛豐饒，用餐空間同樣花樣多彩，雖然沒有無限上網服務，但是在這裡絕不會有無聊的時候。如同店裡給人豐富的形象，等著進入這兒的客人同樣繁多，因此用餐平日限時兩小時，假日限一個半小時。

樂朵 L'etoile Patisserie
童話般的創意法式糕點

text 李芷姍　photo 莊明穎

01

這裡是甜點主廚 Season 揮灑甜點夢想的搖籃，甜甜香氣的圍繞下，一個又一個精雕細琢的法式點心嫣然誕生，細膩手法與無限創意，還有五彩繽紛的招牌馬卡龍，讓各地老饕不遠千里，也要一親芳澤。

在迷宮般的巷弄中暈頭轉向穿梭老半天，要找到傳說中的 L'etoile Patisserie 還真是煞費苦心。位於公車路線最後一站，悄悄佇立在信義路住宅區的 L'etoile Patisserie 與其說是蛋糕店，更像是 Season 的私人廚房，主廚天馬行空的創意與玩心，賦予每個法國糕點獨特個性。蘋果派變成了大輪盛放的玫瑰花，分子技術也融入了法式糕點裡，無限的可能性刺激了顧客嚐鮮與探索的慾望，讓櫃中每個糕點都令人垂涎。

歡迎光臨主廚的私廚房

從網購點心起家，L'etoile Patisserie 從起步到綻放光芒不到三年時間，更在一〇一大樓邀請下進駐貴賓專屬 VIP Lounge，以客製化的精巧點心與服務滿足刁嘴的名媛貴婦，成功的秘訣就在於主廚特製的渾圓馬卡龍。又被稱為少女酥胸的馬卡龍外皮酥爽、內層綿密，歸功於紮實用料與細膩手工，L'etoile Patisserie 的馬卡龍每咬一口，食材自然醇美的風味便從口中綻放，生命力躍然舌尖。

所有熱愛甜點的人，或多或少都

慢速限定

因為店內餐桌數量不多，因此想在這兒享用午茶套餐必須預約，用餐時間也要視當天預約情況而定，可無線上網。曾經舉辦過每月一次的午茶會，能一次品嚐多款主廚特製甜點，現在正陸續規劃其他活動，詳情可洽網站。

01造型獨特的黑醋栗布丁塔**02&04**地下工作室**03** Season師傅的糕點總是能帶來驚喜**05**可愛的店招牌

01

03

02

聽過Season主廚的名號，雖然沒有米其林的星星光環，也不是從海外聘請而來的高薪名廚，但是Season主廚激發創意與想像力創造出來的甜點，就是緊緊抓住了台灣顧客胃口，很多人一吃就上了癮，從網購時代一直跟隨到實體店面。

甜點，最幸福的藝術品

主廚說得灑脫：「做甜點就是講求一個感覺。」沒有名店或名師的包袱，主廚相信只要做出讓自己以及顧客感覺良好的甜點，自然就是最高級的美味了。店裡三不五時會出現令人驚豔的新作品。像是天使之翼，以巧克力Sabayon為主體的苦甜風味中，加入焦糖、鹽之花以及黑橄欖碎創造驚喜連連的層次感。黑醋栗布丁塔將香草布丁與黑醋栗果凍包裹在薄脆的白巧克力皮中，營造出雪糕般外脆內綿的衝突口感。還有草莓甜椒幕司塔，竟然異想天開把紅甜椒與草莓作結合！只能說真是服了Season主廚的原創性與任性妄為，讓法式糕點變得這麼豐盛有趣，好像拆禮物一樣充滿驚喜，吃幾次也不厭倦呢。＊

樂朵L'etoile Patisserie
add 台北市信義路5段150巷445弄18號
tel 02-2345-7779
time 12:00~19:00（外帶），13:00~18:00（內用，採預約制），週一休。
web letoile101.blogspot.com
price 套餐400元

04

01以覆盆子為主體的菲安娜，左上角的果凍玫瑰要花上三天製作。**02**感官花園，久貢帝蛋糕上堆滿進口莓果。**03**口感綿密的「正」黑巧70% **04**五彩馬卡龍

flat white
開放式大廚房的特調咖啡香

text 黃郡怡　photo 周治平

01

04

03

02

超大的開放式廚房消弭了店主與顧客間的隔閡，不論你想享受一個不受打擾的空間，還是想與替你煮咖啡或準備三明治的人交流，flat white 都給了你一個不受拘束的自在氛圍。

走進永康街，小小的巷弄瀰漫著住宅區的寧靜氣氛，其間交錯著幾間特色小店，無事的午後來到這兒遊蕩，似乎很容易就能巧遇意想不到的驚喜。flat white 就位在這樣的地方，院子外低矮的圍牆，掩不去大片落地窗後的咖啡香，讓人忍不住停下腳步，試探著推開木門，一窺落地窗後面的世界。

開放式的超大廚房

走入屋內，預期中的咖啡香緩緩飄來，人們呢喃交談聲此起彼落，而最吸引目光的，就是那佔據店內空間約三分之一的開放式廚房，老闆 Phil 和 Vicky 分據廚房兩側，Phil 負責煮咖啡，Vicky 則在準備三明治。見到這樣開放的大廚房，一時之間還以為這裡是廚藝教室。

Phil 打造的是一間自己喜歡的店，而廚房是他和 Vicky 長時間待的地方，當然不能吝惜空間，如果工作的時候還會東碰西撞的，那多痛苦。至於是不是要縮小空間多放幾張桌子，就不在他們考慮的範圍之內了。店內以白色為底調，牆上掛的三張照片是 Phil 在英國念書時最喜歡的三家咖啡店，角落擺放幾幅 Phil 的手繪創作。用餐空間有沙發區、大木桌區、無印良品坐位區和廚房前吧台可以選擇。

咖啡，和剛出爐的蛋糕

flat white 是紐澳口味的咖啡，奶泡比拿鐵少，咖啡味較濃醇，Phil 將之名為「小白」，是這裡的招牌咖啡。Phil 說，有一位紐西蘭客人見到門口「flat white」招牌，就興奮地來到店裡，因為沒想到在外地也能嚐到家鄉味，此後就成為 flat white 的常客，一週至少光顧一次。

除了咖啡、飲品，這裡也提供輕食、甜點，由 Vicky 掌廚，每天現做兩到三種不同點心。點心並不出現在菜單上，可以向 Phil 尋問「今日點心」。Vicky 的拿手點心有：香蕉蛋糕、水果塔、提拉米蘇、布朗尼…等，Vicky 寧可來不及準備好賣給客人，也堅持甜點一定要當日手工現做，她說：「你不覺得吃到剛出爐、熱騰騰的蛋糕很棒嗎？」或許正因為這項堅持，讓來客都可以放心地將自己的午後時光交給 flat white。 *

flat white
add 台北市永康街41巷12號
tel 02-3393-8872
time 12:00~23:00，週二休。
price 小白咖啡（flat white）140元

01這裡最大的特色就是開放式的大廚房**02**許多客人與flat white都像是老朋友了**03**屬於紐澳口味的flat white**04**Phil的手繪創作擺放在一角**05**只是臨時、隨意擺放的書堆，竟也頗有意趣。**06**大木桌區**07**甜點都是Vicky每日手工現做

慢速限定

能夠無線上網似乎是客人對這類型咖啡店的基本期待，flat white自然不例外，且老闆Phil不喜歡用一大堆規定來限制客人，沒有低消，不收插電費，更不限時，每一位客人都可以是朋友，一切行為都建立在彼此相互尊重的基礎上。

格蕾朵法式烘焙坊 Pâtisserie Collette

遇見愛麗絲的浪漫法國夢

text 洪禎璐　**photo** 黃裕順

01

粉紅與純白交織的空間，玻璃櫃裡色彩繽紛的夢幻甜點，讓每個熱愛甜點的女孩留連忘返，好想一次嚐遍所有蛋糕逸品。

夢想的源起，是加拿大一家名叫 Rahier 的糕點店。葉小姐在加拿大就讀大學法文系時，每天經過這家糕點店，總懷抱著在店裡上班的夢想。畢業後，她前往法國餐飲學校上課，展開了甜點烘焙之路。

進入愛麗絲夢遊仙境

葉小姐坦言，在餐飲學校所學的都只是概念，進入糕點店工作才真能學到做甜點的技術，一路走來，她深刻體會到蛋糕雖然看起來小巧可愛，但做起來可是很費體力的。她在法國工作一年多之後返回加拿大，果真進入朝思暮想的 Rahier 工作，度過一年多的歡樂時光。

回到台灣，從事與烘焙無關的業務一年多後，她心中的開店夢想在家人的挹注下實現了。之所以選在台中開設格蕾朵法式烘焙坊，是因為這裡距離爸媽居住的斗六較近，而所坐落的地點則是因為道路兩旁都是行道樹，乾淨、舒服的感覺很像國外。於是，他們與地主合作，建蓋了這棟二層樓時尚歐風建築，進駐一樓空間。

一走進店內，天花板上大大小小的粉紅色圓圈，將燈光打在中央展示台上；粉紅色糕點展示桌櫃裡，擺放了色彩繽紛的各式蛋糕、法式軟糖和法式鹹派；左側用餐區被白色鏤空隔屏圈圍起來，感覺就像是踏入另一個世界。處處可見的蝴蝶、花卉圖樣，更讓店內散發夢幻色彩。葉小姐說，她想要結合自然、環保、奇異元素，讓人有進入愛麗絲夢遊仙境的感覺。

慢速限定

店內設有無限上網，平日的下午茶沒有時間限制，假日若有客人等候排隊的話，則限時一個半小時。雖然沒有午茶套餐，但每一種飲品的原料都經過精挑細選，品質絕佳，搭配店內的美味蛋糕也絲毫不遜色。

01&03奇異而又浪漫的空間，與造型美麗的甜點相呼應。02能安靜品嚐蛋糕的角落04店內散發女孩最愛的巴黎氛圍

01

03

02

工序複雜的精緻甜點

最早，店內的蛋糕都是以法國文學家命名，店名格蕾朵（Collette）也是取自法國女劇作家的名字，聽起來充滿青春洋溢的年輕感，正符合葉小姐想要營造的感覺。

與店同名的格蕾朵蛋糕，當然也是經典。以口感輕柔的天使手指做邊，內餡一層層填入黑醋栗慕斯、蛋糕片和黑醋栗果凍，再擠上奶油和草莓，層次豐富的口感，讓人一吃就愛上了。

店內的甜點都是由葉小姐研發創作，從格蕾朵、藝妓到香蕉巧克力塔，樣樣都是工序複雜的精緻甜點。她說，靈感到處都是，除了不斷嘗試各種食材搭配的可能，也從各處汲取外型的靈感，像是今年的母親節蛋糕就是以高第為靈感創作的。至於蛋糕的甜度則針對國人口味而降低許多。她說，在國外乾冷的天氣裡，吃一口甜點，真的會有溫暖的感覺；不過在台灣溼熱天氣裡，過甜的東西就讓人感到燥熱。

葉小姐最喜歡的甜點是法式軟糖，使用天然水果做成的軟糖，雖然色彩鮮豔，卻完全沒有添加人工色素。香氣濃郁，入口即化，很值得一試。來此用完下午茶，也不妨外帶法式鹹派回家。＊

04

格蕾朵法式烘焙坊
add 台中市南屯區大業路398號
tel 04-2258-7998
time 10:00~22:00，週一休。
web www.colette.com.tw
price 低消150元

01與店同名的格蕾朵蛋糕，藏有美味的黑醋栗慕斯。**02**香蕉巧克力塔，有香蕉果泥和巧克力甘納許。**03**心戀泡芙的貴婦奶醬內餡，口感比卡士達醬還輕柔。**04**藝妓，第一個以東方為靈感的蛋糕。

01

明森宇治抹茶專賣店
走進日式抹茶的香甜世界

text 洪禎璐　photo 黃裕順

位在幽靜巷內，低調得彷如住宅區的一部份，在沉靜的日式氛圍裡，品嚐抹茶的各種香甜變化，讓人驚喜連連。

這裡原本只是進口商招待客戶品嚐日本茶的場所，優美的環境讓客戶們讚不絕口，皆認為這裡十分適合開店，於是就誕生了明森宇治抹茶專賣店，店家精心調配出各種抹茶飲品、茶點和餐食，讓人見識到抹茶的包容性。

淳樸日式氛圍

木質桌椅整齊沿著廊道擺放在庭園裡，最引人注目的是中間的座位。圓形坐墊鋪在寬板凳上，傳統木傘立在旁邊為人遮蔭，鐵壺擺在一旁的炭爐上，偶爾會燒起炭火，讓水氣蒸騰而上，洋溢著日式庭園的雅靜。

推開門走進屋內，眼光立刻被左前方的方格木櫃所吸引，各式各樣的日本茶道茶碗、茶具、鐵壺和小巧的罐裝抹茶等等，濃縮展現日本茶文化之美。從牆上掛飾、椅子上的靠墊到木桌玻璃墊下的裝飾布品，都是傳統的日本水墨畫，洋溢著日本京都的懷舊風情，整體色調是略顯成熟的昏黃。

由於廣受好評，專賣店已在尚德街的轉角處開設二店，洋溢著現代

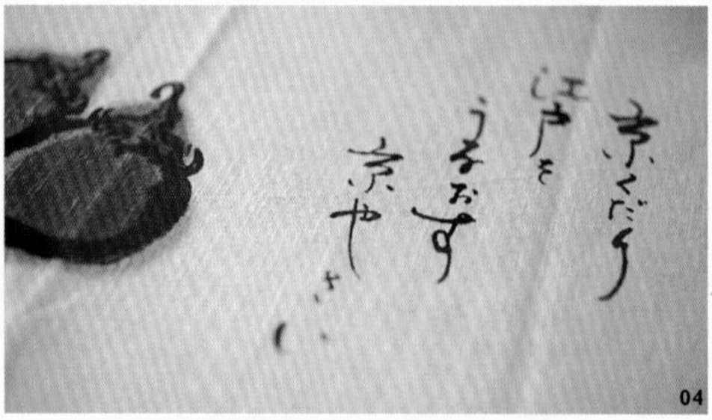

慢速限定

一店強調要安靜地享受茶，會希望來客盡量降低聲量，二店則不受此限，較能接受歡聚場面。店內設有無線上網，平日可盡享寧靜時光，週六和週日則限時兩小時。

01偏甜的抹茶玄米，使用帶有清香的抹茶，還加入了黑豆粉。**02&03**戶外庭院洋溢著恬靜的日式氛圍**04**店內每樣布品都散發傳統日式風味

北海道風情。簡約的淺色木桌搭配籐背皮椅、色彩繽紛的靠墊，以和風花布掛飾裝點純白色牆面，大片開窗讓空間十分明亮。

道地宇治抹茶

由於老闆跟宇治抹茶的社長相當友好，因此可以取得內銷等級的抹茶進口來台。十八種等級的抹茶各有獨特風味，光是研發茶點就花了兩年多的時間。

最經典的點心就屬京都茶點葉子紅豆，由玄米茶、抹茶粉和碎綠豆仁做成的糕點裡，包裹口味清淡的紅豆餡，不使用任何油品，因此是採冷凍方式凝固，最佳賞味時間是置於室溫十分鐘以後，嚐來完全不黏口。

夏季最受歡迎的宇治金時和霜淇淋百匯，都是料多、口感豐富的冰品。從抹茶冰淇淋、茶凍到霜淇淋，為了呈現最佳口感，都使用不同款的抹茶製成。尤其製作霜淇淋時，為了避免抹茶的顆粒影響滑順感，不只使用次高級的抹茶粉，還特別經過一道純隔水加熱的工序。

推薦飲品抹茶玄米、抹茶拿鐵和

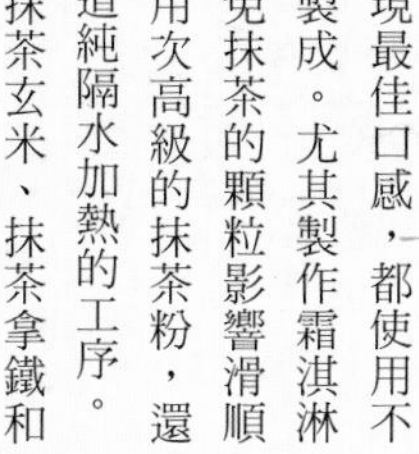

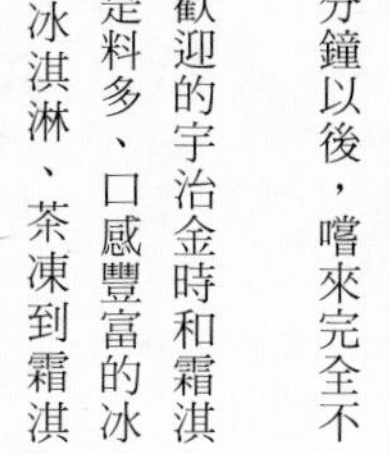

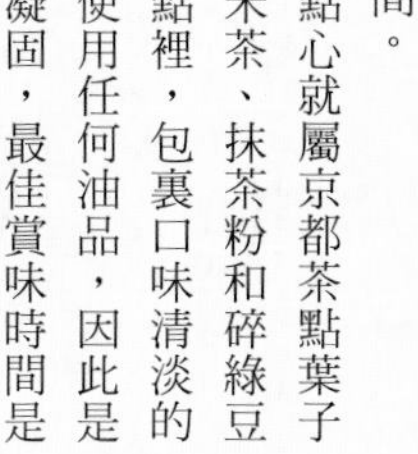

01店內一角**02**引人注目的戶外庭院**03**這裡可取得內銷等級的抹茶**04**用豆漿做成奶酪為底，再加上抹茶冰淇淋，點綴蜜黑豆。**05**坐椅靠墊延續一貫的日式基調**06**宇治金時特別灑上玄米作為媒介，讓口感層次更豐富。**07**抹茶拿鐵使用茶道級抹茶粉，搭配特製糕點最對味。**08**方格木櫃濃縮展現日本茶文化之美**09**二店風格明亮簡約**10**戶外庭院頗有宇治抹茶店的感覺

07

06

抹茶咖啡，使用的也是不同款的抹茶。偏甜的抹茶玄米用的是帶有清香的抹茶，抹茶拿鐵是由茶道級抹茶粉調製而成，抹茶咖啡則特別選用加糖抹茶粉做為基底，讓咖啡與抹茶味能完全融合。

抹茶香或濃或淡在舌尖竄動，雖然都是抹茶，卻是怎麼喝、怎麼嚐都不會膩。*

08

10

09

明森宇治抹茶專賣店
add 台中市西區存中街161巷1號
tel 04-2375-6262
明森二店
add 台中市尚德街2號
tel 04-2208-0798
time 11:00~22:00
web www.mstea.com.tw
price 低消90元

金禾別苑 Blanc de Chine
歐洲貴族的午茶宴會

text IR **photo** 何忠誠

01

03

02

初來到金禾別苑，馬上被其潔白典雅的外觀所吸引。這是明星歌手張信哲投資、設計的空間，一不注意，你可能就坐在他收藏的經典古董椅上。

金禾別苑大門一敞開，讓人感覺彷彿時光接錯來到二十世紀初期的歐式建築裡，一百八十坪寬敞的歐風空間、隨季節食材變化的季節菜單，不管如歐洲貴族的書房角落，或是二樓華麗風格的座位，都是賴上一個下午的好選擇。

店內特別聘請專業甜點師傅，打造外型獨特、美味可口的手工蛋糕和巧克力，除了甜點櫃內的選擇外，也可和師傅商量客製化的組合，也難怪這裡是高雄慶生和求婚地點人氣居高不下的好選擇。

以歌為名的甜點

為維持餐點質感並不斷精益求精，店長張耀中多次帶領團隊周遊各國取經，只為了呈現更美味的餐點給客人。尋訪了港澳米其林餐廳和台北許多西式餐廳後，金禾別苑引進南台灣少見的伊比利火腿，並以幾乎低於台北一半的價格販售。

伊比利火腿，取自西班牙特有的黑褐色伊比利豬的後腿肉風製而成，此豬經過得天獨厚的生長環境和養成方式，火腿中充滿細膩的橡木子香氣，肉質細密，色澤迷人，搭配

慢速限定

下午茶套餐包含一份手工蛋糕搭配茶點、果汁或咖啡。另可自行選擇甜點櫃內蛋糕和巧克力搭配，店內隨季節不定期推出特色餐點，如西班牙國寶伊比利火腿。

01各式各樣的巧克力甜點像藝術品般至於盤上**02**一樓寬敞舒適的潔白空間**03**如宮廷的書房角落是女生說悄悄話的絕佳空間**04**二樓設有不同華麗色調主題的包廂

04

01

03

02

哈蜜瓜等新鮮蔬果食用，幾乎所有嚐過的人都難以忘懷這頂級的好滋味。若是再更享受一點，配上一杯紅酒，絕對讓你口齒留香。

店內古董以外的座椅和裝飾全出自張信哲親手設計，甜點組合也以張信哲的歌名為名。例如「過火」，即以新鮮水果、冰淇淋和玉米碎片所呈現出來的杯狀甜點，內容豐富、口味清爽，悠閒的午後來上一份甜點，盡是滿滿的幸福滋味。另外還有「最想念的季節」和「下雪邊界」，都吸引許多歌迷希望一探究竟。

享受張信哲的古董收藏

甜點櫃內有巧克力主廚團隊研發各式各樣經典巧克力，超高人氣「精靈巧克力」，創意取自澳門米其林三星餐廳Robuchon a Galera，一放進嘴中如仙女棒在口中閃爍的口感，有趣而美味，令人難以抗拒其創意和驚喜。

吃甜點的同時也別忽略了你正使用的餐具，說不定就是張信哲收藏的古董和精品，張耀中笑著說，有次客人看到了他正使用的盤子竟然是Wedgwood有手寫編號的經典古董，還趕緊請他們把盤子好好珍藏，只要展示就好，以免這麼珍貴的東西有什麼閃失。

悠閒的下午待在金禾別苑盡是好心情，看著店長張耀中和客人自在的交談對話，原來在金禾別苑的客人們因為美食的共同興趣，還特別組了美食團，定期品酒或交流美食資訊。

這裡不只是個提供美食的園地，更是孕育高雄藝文的絕佳空間，各式美妝品和精品發表會都曾在這裡舉辦，店內也常在下午茶時段舉行藝文活動交流，只要點一份下午茶，坐在舒服、優雅的空間裡就能探訪歐美無數藝文空間與巨作，也頓時明白金禾別苑讓顧客一再造訪的終極魅力在何處了。＊

05

04

金禾別苑 Blanc De Chine
add 高雄市苓雅區廈門街6號（光華路口）
tel 07-222-2133
time 11:30~22:00，下午茶時間14:00~17:00。
price 午茶套餐160元起

01金禾別苑外觀潔白典雅**02**味道、賣相都好的冰淇淋組合**03**南台灣首度引進的伊比利火腿拼盤**04**金禾別苑專業甜點團隊不定期推出不同下午茶組合**05**「過火」，以張信哲歌名為名。

Qubit Café

咖啡國度裡的奢華饗宴

text IR　photo 何忠誠

01

一杯咖啡能為生活帶來什麼？一個美好的下午，或是一個提振精神、繼續前進的動力。Qubit Café 優雅地坐落於高雄美術館區，是極上品味的代名詞，從餐具、環境到咖啡，都是頂級的享受。

來到高雄美術園區，綠意盎然而舒適的氛圍令人耳目一新，推開 Qubit Café 的門，就像踏入義大利農莊，木製空間讓人感到溫暖而高雅。空氣中帶著一絲咖啡的迷人芬芳，耳邊飄揚著舒服的音樂，這一切，都為了一杯極品咖啡。

黑咖啡，咖啡的極致

當各大晶圓廠都在追求奈米等級的製成時，有家咖啡店早以超越了它們。Qubit Café，是比奈米還小的量子名詞，店家說這裡每一顆嚴選的極品咖啡豆雖小，卻能釋放最迷人、最極致的力量，顛覆客人對於咖啡的終極感受。因此 Qubit Café 從咖啡豆開始把關，嚴選世界評鑑頂級莊園豆，使用 Kapok 半熟風式烘焙機每天小量的中淺烘培，每一口都是經典而感動的味道。

店家推薦品嚐藍山咖啡，在啜飲前先喝口水，為的是清除口中其他味道，接著小口小口地連喝三口咖啡，嘴中咖啡釋放風韻時去體會，可感受到第一口酸苦，第二口酸苦味消失，最後回甘的起承轉合，品嚐黑咖啡的絕美和藝術就在此。

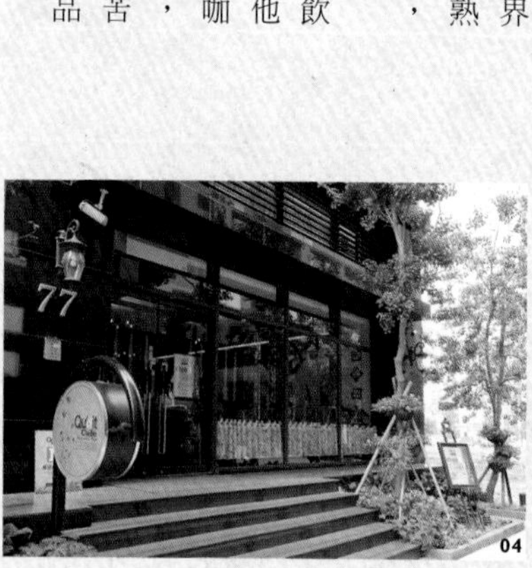

慢速限定

為了讓客人專心的品嚐咖啡，享受悠閒的午後，店內並未提供無線網路。除了咖啡外，店家為了健康特別研發的素食漢堡和咖哩盒酥也頗受到消費者歡迎。下午茶時間凡點購茶品即贈送斯康一份。

01Qubit Cafe的斯康是下午茶的最佳配角**02**用猴頭菇做成的素食漢堡，美味又健康。**03**咖哩口味的盒酥是老闆最自豪的輕食**04**Qubit Cafe坐落於悠閒的高雄美術館區

01

德國第一名瓷 Meissen

除了咖啡是精挑細選，Qubit Café 的咖啡容器亦不馬虎，選的是有德國第一名瓷之稱的 Meissen，每一個杯子皆為手工製作，獨特而限量，杯子和杯襯也都為了品味咖啡而設計，可突顯咖啡的香氣，也具有保溫的作用。Qubit Café 收藏了許多 Meissen 的經典，如 Waves Relief（神奇波浪）系列，素白靜雅的外型上隱藏了如波浪般的流動線條，高雅且細緻，是品嚐咖啡之外的另一大享受。

Qubit Café 希望自己能作為一個先驅的角色，提倡南部的咖啡文化，也期許美術館一帶可成為高雄的咖啡街。

一杯咖啡可以喝多久？這裡不怕客人久坐，只怕沒有感受出店家辛苦營造的意境。別忘了為最後留一口咖啡，等到起身要離開的時候再一飲而盡，帶著在這裡停留時的幸福與甘甜離開，體會沒有賞味期限的開心。 *

Qubit Cafe
add 高雄市鼓山區美術東七街77號
tel 07-555-9477
time 8:00~22:00
price 低消150元

01私人包廂特別看得出主人的絕頂品味**02**義式鄉村風格的空間**03**容器全採用德國名瓷麥森瓷器**04**招牌頂級莊園藍山咖啡

瑪琪朵朵 Macchiato Flower
用甜點開啟女生的幸福味蕾

text IR **photo** 何忠誠

01

高雄尋味 同場加映

02

木製的吧台，暖色調的座位，潔白而充滿設計感的空間裡，一群又一群的女生各自圍繞在一起喝午茶、話家常，就像成群的朵朵芬芳一樣，迷人而優雅。

瑪琪朵朵，光聽店名就讓人感到好心情，是由讓人感到溫暖的氣質女老闆真利所領導經營。雖然是三個小孩的母親，但是她的另外一個寶貝——瑪琪朵朵，就像三個孩子一樣，也被她細心呵護著。

追求優雅，堅持嚴選

在瑪琪朵朵營業之前，高雄的咖啡廳大多是三角窗的咖啡店，環境品質欠佳，對於飲品和餐點也不是那麼講究。為了讓南台灣的客人有更舒適、更不一樣的下午茶選擇，瑪琪朵朵優雅現身。

瑪琪朵朵的堅持除了環境，從飲料、食材到甜點都由真利親自監督，如奶油嚴選法國的優質奶油，茶飲使用享譽國際法國瑪黑兄弟（Mariage Frères）和新加坡TWG（The Wellness Group）共四十多種的花茶，天然的花香搭配迷人的香氣，美麗的午後莫過於此。

真利在店裡每天觀察消費者習性，不斷地在產品和呈現上作調整，也從顧客口耳相傳的好口碑讓生意越來越穩定。

用心做出來的手工甜點

店內人氣招牌千層塔有奶油、草莓、芝麻和抹茶紅豆四種口味，純手工製作，由約四十層薄能透光的蛋皮和餡料交疊而成，在層層疊疊的層次中品嚐這道法式甜品的雅致和功夫，甜而不膩，搭配這裡各式各樣的花茶是最好的選擇；另外一款焦糖核果捲和黑咖啡最為相配，許多客人在真利的推薦下一吃就愛上，還跟真利說瑪琪朵朵甜品有讓人吃了就上癮的魔力呢！

悠閒的午後，店內幾乎都是女性顧客，不管是年輕族群，或是婆婆媽媽，大家不分年齡全都像真利的好姊妹一樣，因為瑪琪朵朵而交心。一個美麗的午後可以如何更加分？看著在瑪琪朵朵進出的客人，時髦的辣媽背著大提琴，知性的上班族專業地談著公事，只要來到瑪琪朵朵，就有好心情。

*

瑪琪朵朵
add 高雄市苓雅區苓雅一路33號
tel 07-537-2066
time 早餐時間9:50~11:00，午餐時間11:30~14:00，午茶時間14:00~18:30。
price 低消120元，午茶套餐180元。

01店內甜點全由瑪琪朵朵手工製作。圖為抹茶紅豆奶酪。**02**溫馨舒適的環境吸引非常多女性顧客 **03**藍莓法式薄餅 **04**讓許多人慕名而來的原味千層

04

03

慢速限定
下午茶時間為下午兩點至六點半，手工蛋糕，甜點全天候供應。店內人氣商品包括千層塔、焦糖核果捲和可麗餅，不管是外型還是口味，都緊緊抓住女性味蕾。

Gourmet
探索味蕾的無限可能

慶祝特殊節日，
非得好好寵愛自己的味蕾不可…

穀倉法炊 Barn Canteen

拜訪
南法朋友的家

text 黃郡怡 photo 黃裕順

01

即便沒有醒目招牌，來到這兒，還是很確信這裡就是「穀倉法炊」。門口擺放幾張古舊的木製桌椅，再加上幾疊綑紮厚實的牧草堆，一派悠閒輕鬆的歐洲風貌讓人忍不住佇足停留。

推開穀倉法炊透明玻璃大門，老舊的櫃子、木製桌椅、頭頂倒掛的一排玉米、水泥裸露在外的樓梯、樓梯轉角處的牧草堆、貼上白色瓷磚的古早味吧台…再加上踩上去還會隱隱「咯吱咯吱」作響的木頭地板，即便還未吃到料理，我們也很肯定這個地方來對了。

鄉野田園間的穀倉風貌

在這兒用餐全然沒有刻板印象中享用法國菜時無可避免的拘束感，沒有一整排讓人驚慌失措的刀叉，沒有穿著比你還要正式的服務生，只需要抱著最愉悅的心情，就像到鄉下的朋友家作客一樣，享受朋友精心準備的田園式法菜就可以了。

步上二樓，感受到的又是另一種情調。如果說一樓是穀倉田園風貌，那麼二樓就像是從田園鄉野間回到了女主人的家，櫥櫃一如你我的家中般擺滿各式杯盤，大片落地窗迎進充足的光線，靠窗的沙發椅是太太們談心最舒適的角落。中央一顆高高掛起的生態球，種植四十多種植物，即便身處二樓，仍能感受到一片綠意盎然。

極味限定
南法風味的料理，嚐起來味道較重，卻在主廚巧手下，賦予更多口感層次。菜單隨季節不同而有所更替，針對當時氣候、溫度，設計出符合當季食慾的菜單，也因此菜單變化靈活，沒有僵化的規矩。

01夏日雞咕叫套餐02門口擺放的牧草堆，讓人確信穀倉法炊就在這兒。03二樓的女主人空間04精緻的餐具05櫥櫃擺滿各式杯盤，一如你我的家。

01

中國空軍英雄楊訓偉獨機炸毀日寇軍事補給線樞紐紀實

一九四四年，第二次世界大戰正處於戰略轉捩點，同盟國與協約國的戰爭態勢發生了根本性轉變，同盟國由戰略防守變爲戰略進攻。在歐洲戰場上，蘇聯紅軍對法西斯德國的戰爭取得節節勝利，德軍疲於奔命，傷亡慘重，敗象畢露。這樣遂使美國騰出兵力，開始加強在東方的作戰力度。該年伊始，美軍佔領了馬紹爾群島的主要島嶼，進而威脅到日本本土之安危，並使日軍面臨著自身海上交通線被一舉切斷的局面。爲挽回頹勢，日軍於這年四月間傾其全力，孤注一擲，發動了迴光返照的豫湘桂戰役。這一戰役旨在打通由中國東北地區南達廣州與南寧的大陸交通線，以利於救援已侵佔南洋諸島的日寇孤軍，同時建構中國大陸地區的日軍物資補給線，爲長期作戰做好準備。日寇發動這一窮兵黷武戰役的啓始點就在河南。該年春夏之交，日軍先後佔領了鄭州、許昌、洛陽，僅月餘時間就攻佔了河南省全境，打通了平漢線。隨後，日軍大舉向湖南進攻，其勢洶洶，兵鋒甚銳，從五月底到八月初佔領了長沙、衡陽。進而大舉南犯，連續佔領廣西之桂林、柳州與南寧，繼而與自越南北犯之日軍會合。至此，由中國東北直至越南河內的大陸交通線，到底被日本侵略軍打通了。這場史稱豫湘桂的戰役，是中國軍隊抗戰以來最爲慘烈的大戰，日寇傾其能調動的全部軍力，倡狂進攻，致使我六千餘萬同胞遭到敵寇蹂躪，二十多萬平方公里的國土淪喪於敵手。面對這種嚴重的形勢，爲扭轉不利的戰爭格局，從中間位置切斷日軍萬裡交通線，腰斬其支援長期戰爭的軍事補給線，盟軍中國戰區統帥部決定，出動空軍轟炸機炸毀平漢鐵路河南段的黃河鐵橋。一九四四年八月三日，中美空軍混合團派出第一大隊優秀的飛行員楊訓偉，駕駛B—25低空轟炸機，攜帶延期信管一千磅的炸彈三枚，千里疾掣，飛臨目標。楊訓偉將生死置於度外，英勇無畏，俯衝至五十公尺高度，從鐵橋北端投彈，彈彈命中，炸毀橋墩兩座，炸得日寇守軍灰飛煙滅，鐵橋頓時坍塌。由此，日軍的大陸交通線中斷，軍事補給線難以爲繼，一步步走向滅亡的深淵。楊訓偉爲中國人民抗日戰爭立下了不可磨滅的戰功。緣于這一卓著功勳，楊訓偉榮膺中國政府頒發的「陸海空軍武功狀」。此武功狀已於二零零二年五月十六日爲中華人民共和國國家博物館所永久收藏。

值此中國人民抗日戰爭勝利七十周年，特將空軍史學家陳應明先生所繪之炸橋景象印刷千份廣為流傳，以之紀念中國空軍英雄楊訓偉獨機炸毀日寇軍事補給線樞紐之至偉厥功，同時紀念所有爲抗日戰爭而捐軀的中國空軍將士和所有爲援華抗日而犧牲的美國飛虎隊與第十四航空隊官兵，紀念爲抗擊日寇而以身殉國的全體中國軍民。爲抗日戰爭而犧牲的英烈們與日月同輝，與山河同在，浩氣長存，永垂不朽！

華藏山社

二零一五年八月十五日

先父摄于 B-25 驾驶舱

先父与机组人员摄于 B-25 轰炸机

碑文

民國九年，先嚴肇元。
少小苦讀，文武俱全。
矢勤矢勇，自奮黽勉。
倭妖侵華，肆無忌憚。
四野飆馳，禹域腥膻。
光華復旦，先嚴志堅。
投筆從戎，獻身抗戰。
雄鷹為騎，翔翥藍天。
雲裂霧穿，剛及屨劍。
一九四四，八月之三。
先嚴受命，電掣河畔。
忘死舍生，切齒投彈。
敵寇喪膽，橋化塵煙。
鐵蹄西踏，頓作夢魘。
吾父神勇，英雄孤膽。
神州振奮，武功狀頒。
功垂青史，彪炳晶圓。
征程風雨，無悔無怨。
萬里崎嶇，克勤克儉。
貞志不休，無愧軒轅。
猗歟大哉！丹心拳拳。
英靈在天，精誠共鑒。
吾輩後胄，永志不諼。
忠以報國，明禮大觀。
誠以為民，傾力輝纘。
誓化災沴，追承績獻。
佑啟後昆，萬代成瞻。
恢弘父烈，吾輩無忝。
靈其鑒止，永垂河山！

中國空軍英雄楊訓偉獨機炸毀日寇軍事補給線樞紐紀實

一九四四年，第二次世界大戰正處於戰略轉捩點，同盟國與協約國的戰爭態勢發生了根本性轉變，同盟國由戰略防守變爲戰略進攻。在歐洲戰場上，蘇聯紅軍對法西斯德國的戰爭取得節節勝利，德軍疲於奔命，傷亡慘重，敗象畢露。這樣遂使美國騰出兵力，開始加強在東方的作戰力度。該年伊始，美軍佔領了馬紹爾群島的主要島嶼，進而威脅到日本本土之安危，並使日軍面臨著自身海上交通線被一舉切斷的局面。爲挽回頹勢，日軍於這年四月間傾其全力，孤注一擲，發動了迴光返照的豫湘桂戰役。這一戰役旨在打通由中國東北地區南達廣州與南寧的大陸交通線，以利於救援已侵佔南洋諸島的日寇孤軍，同時建構中國大陸地區的日軍物資補給線，爲長期作戰做好準備。日寇發動這一窮兵黷武戰役的啓始點就在河南。該年春夏之交，日軍先後佔領了鄭州、許昌、洛陽，僅月餘時間就攻佔了河南省全境，打通了平漢線。隨後，日軍大舉向湖南進攻，其勢洶洶，兵鋒甚銳，從五月底到八月初佔領了長沙、衡陽。進而大舉南犯，連續佔領廣西之桂林、柳州與南寧，繼而與自越南北犯之日軍會合。至此，由中國東北直至越南河內的大陸交通線，到底被日本侵略軍打通了。這場史稱豫湘桂的戰役，是中國軍隊抗戰以來最爲慘烈的大戰，日寇傾其能調動的全部軍力，倡狂進攻，致使我六千餘萬同胞遭到敵寇蹂躪，二十多萬平方公里的國土淪喪於敵手。面對這種嚴重的形勢，爲扭轉不利的戰爭格局，從中間位置切斷日軍萬裡交通線，腰斬其支援長期戰爭的軍事補給線，盟軍中國戰區統帥部決定，出動空軍轟炸機炸毀平漢鐵路河南段的黃河鐵橋。一九四四年八月三日，中美空軍混合團派出第一大隊優秀的飛行員楊訓偉，駕駛B—25低空轟炸機，攜帶延期信管一千磅的炸彈三枚，千里疾掣，飛臨目標。楊訓偉將生死置於度外，英勇無畏，俯衝至五十公尺高度，從鐵橋北端投彈，彈彈命中，炸毀橋墩兩座，炸得日寇守軍灰飛煙滅，鐵橋頓時坍塌。由此，日軍的大陸交通線中斷，軍事補給線難以爲繼，一步步走向滅亡的深淵。楊訓偉爲中國人民抗日戰爭立下了不可磨滅的戰功。緣于這一卓著功勳，楊訓偉榮膺中國政府頒發的「陸海空軍武功狀」。此武功狀已於二零零二年五月十六日爲中華人民共和國國家博物館所永久收藏。

值此中國人民抗日戰爭勝利七十周年，特將空軍史學家陳應明先生所繪之炸橋景象印刷千份廣為流傳，以之紀念中國空軍英雄楊訓偉獨機炸毀日寇軍事補給線樞紐之至偉厥功，同時紀念所有爲抗日戰爭而捐軀的中國空軍將士和所有爲援華抗日而犧牲的美國飛虎隊與第十四航空隊官兵，紀念爲抗擊日寇而以身殉國的全體中國軍民。爲抗日戰爭而犧牲的英烈們與日月同輝，與山河同在，浩氣長存，永垂不朽！

華藏山社

二零一五年八月十五日

先父摄于 B-25 驾驶舱

先父与机组人员摄于 B-25 轰炸机

碑文

民國九年，先嚴肇元。
少小苦讀，文武俱全。
矢勤矢勇，自奮黽勉。
倭妖侵華，肆無忌憚。
四野飆馳，禹域腥膻。
光華復旦，先嚴志堅。
投筆從戎，獻身抗戰。
雄鷹為騎，翔翥藍天。
雲裂霧穿，剛及屨劍。
一九四四，八月之三。
先嚴受命，電掣河畔。
忘死舍生，切齒投彈。
敵寇喪膽，橋化塵煙。
鐵蹄西踏，頓作夢魘。
吾父神勇，英雄孤膽。
神州振奮，武功狀頒。
功垂青史，彪炳晶圓。
征程風雨，無悔無怨。
萬里崎嶇，克勤克儉。
貞志不休，無愧軒轅。
猗歟大哉！丹心拳拳。
英靈在天，精誠共鑒。
吾輩後胄，永志不諼。
忠以報國，明禮大觀。
誠以為民，傾力輝纘。
誓化災沴，追承績獻。
佑啟後昆，萬代成瞻。
恢弘父烈，吾輩無忝。
靈其鑒止，永垂河山！

中國空軍英雄楊訓偉獨機炸毀日寇軍事補給線樞紐紀實

一九四四年，第二次世界大戰正處於戰略轉捩點，同盟國與協約國的戰爭態勢發生了根本性轉變，同盟國由戰略防守變爲戰略進攻。在歐洲戰場上，蘇聯紅軍對法西斯德國的戰爭取得節節勝利，德軍疲於奔命，傷亡慘重，敗象畢露。這樣遂使美國騰出兵力，開始加強在東方的作戰力度。該年伊始，美軍佔領了馬紹爾群島的主要島嶼，進而威脅到日本本土之安危，並使日軍面臨著自身海上交通線被一舉切斷的局面。爲挽回頹勢，日軍於這年四月間傾其全力，孤注一擲，發動了迴光返照的豫湘桂戰役。這一戰役旨在打通由中國東北地區南達廣州與南寧的大陸交通線，以利於救援已侵佔南洋諸島的日寇孤軍，同時建構中國大陸地區的日軍物資補給線，爲長期作戰做好準備。日寇發動這一窮兵黷武戰役的啓始點就在河南。該年春夏之交，日軍先後佔領了鄭州、許昌、洛陽，僅月餘時間就攻佔了河南省全境，打通了平漢線。隨後，日軍大舉向湖南進攻，其勢洶洶，兵鋒甚銳，從五月底到八月初佔領了長沙、衡陽。進而大舉南犯，連續佔領廣西之桂林、柳州與南寧，繼而與自越南北犯之日軍會合。至此，由中國東北直至越南河內的大陸交通線，到底被日本侵略軍打通了。這場史稱豫湘桂的戰役，是中國軍隊抗戰以來最爲慘烈的大戰，日寇傾其能調動的全部軍力，倡狂進攻，致使我六千餘萬同胞遭到敵寇蹂躪，二十多萬平方公里的國土淪喪於敵手。面對這種嚴重的形勢，爲扭轉不利的戰爭格局，從中間位置切斷日軍萬裡交通線，腰斬其支援長期戰爭的軍事補給線，盟軍中國戰區統帥部決定，出動空軍轟炸機炸毀平漢鐵路河南段的黃河鐵橋。一九四四年八月三日，中美空軍混合團派出第一大隊優秀的飛行員楊訓偉，駕駛B—25低空轟炸機，攜帶延期信管一千磅的炸彈三枚，千里疾掣，飛臨目標。楊訓偉將生死置於度外，英勇無畏，俯衝至五十公尺高度，從鐵橋北端投彈，彈彈命中，炸毀橋墩兩座，炸得日寇守軍灰飛煙滅，鐵橋頓時坍塌。由此，日軍的大陸交通線中斷，軍事補給線難以爲繼，一步步走向滅亡的深淵。楊訓偉爲中國人民抗日戰爭立下了不可磨滅的戰功。緣于這一卓著功勳，楊訓偉榮膺中國政府頒發的「陸海空軍武功狀」。此武功狀已於二零零二年五月十六日爲中華人民共和國國家博物館所永久收藏。

值此中國人民抗日戰爭勝利七十周年，特將空軍史學家陳應明先生所繪之炸橋景象印刷千份廣為流傳，以之紀念中國空軍英雄楊訓偉獨機炸毀日寇軍事補給線樞紐之至偉厥功，同時紀念所有爲抗日戰爭而捐軀的中國空軍將士和所有爲援華抗日而犧牲的美國飛虎隊與第十四航空隊官兵，紀念爲抗擊日寇而以身殉國的全體中國軍民。爲抗日戰爭而犧牲的英烈們與日月同輝，與山河同在，浩氣長存，永垂不朽！

華藏山社

二零一五年八月十五日

先父摄于 B-25 驾驶舱

先父与机组人员摄于 B-25 轰炸机

碑文

民國九年，先嚴肇元。
少小苦讀，文武俱全。
矢勤矢勇，自奮黽勉。
倭妖侵華，肆無忌憚。
四野飆馳，禹域腥膻。
光華復旦，先嚴志堅。
投筆從戎，獻身抗戰。
雄鷹為騎，翔翥藍天。
雲裂霧穿，剛及屨劍。
一九四四，八月之三。
先嚴受命，電掣河畔。
忘死舍生，切齒投彈。
敵寇喪膽，橋化塵煙。
鐵蹄西踏，頓作夢魘。
吾父神勇，英雄孤膽。
神州振奮，武功狀頒。
功垂青史，彪炳晶圓。
征程風雨，無悔無怨。
萬里崎嶇，克勤克儉。
貞志不休，無愧軒轅。
猗歟大哉！丹心拳拳。
英靈在天，精誠共鑒。
吾輩後胄，永志不諼。
忠以報國，明禮大觀。
誠以為民，傾力輝纘。
誓化災沴，追承績獻。
佑啟後昆，萬代成瞻。
恢弘父烈，吾輩無忝。
靈其鑒止，永垂河山！

中國空軍英雄楊訓偉獨機炸毀日寇軍事補給線樞紐紀實

一九四四年，第二次世界大戰正處於戰略轉捩點，同盟國與協約國的戰爭態勢發生了根本性轉變，同盟國由戰略防守變爲戰略進攻。在歐洲戰場上，蘇聯紅軍對法西斯德國的戰爭取得節節勝利，德軍疲於奔命，傷亡慘重，敗象畢露。這樣遂使美國騰出兵力，開始加強在東方的作戰力度。該年伊始，美軍佔領了馬紹爾群島的主要島嶼，進而威脅到日本本土之安危，並使日軍面臨著自身海上交通線被一舉切斷的局面。爲挽回頹勢，日軍於這年四月間傾其全力，孤注一擲，發動了迴光返照的豫湘桂戰役。這一戰役旨在打通由中國東北地區南達廣州與南寧的大陸交通線，以利於救援已侵佔南洋諸島的日寇孤軍，同時建構中國大陸地區的日軍物資補給線，爲長期作戰做好準備。日寇發動這一窮兵黷武戰役的啓始點就在河南。該年春夏之交，日軍先後佔領了鄭州、許昌、洛陽，僅月餘時間就攻佔了河南省全境，打通了平漢線。隨後，日軍大舉向湖南進攻，其勢洶洶，兵鋒甚銳，從五月底到八月初佔領了長沙、衡陽。進而大舉南犯，連續佔領廣西之桂林、柳州與南寧，繼而與自越南北犯之日軍會合。至此，由中國東北直至越南河內的大陸交通線，到底被日本侵略軍打通了。這場史稱豫湘桂的戰役，是中國軍隊抗戰以來最爲慘烈的大戰，日寇傾其能調動的全部軍力，倡狂進攻，致使我六千餘萬同胞遭到敵寇蹂躪，二十多萬平方公里的國土淪喪於敵手。面對這種嚴重的形勢，爲扭轉不利的戰爭格局，從中間位置切斷日軍萬裡交通線，腰斬其支援長期戰爭的軍事補給線，盟軍中國戰區統帥部決定，出動空軍轟炸機炸毀平漢鐵路河南段的黃河鐵橋。一九四四年八月三日，中美空軍混合團派出第一大隊優秀的飛行員楊訓偉，駕駛B—25低空轟炸機，攜帶延期信管一千磅的炸彈三枚，千里疾掣，飛臨目標。楊訓偉將生死置於度外，英勇無畏，俯衝至五十公尺高度，從鐵橋北端投彈，彈彈命中，炸毀橋墩兩座，炸得日寇守軍灰飛煙滅，鐵橋頓時坍塌。由此，日軍的大陸交通線中斷，軍事補給線難以爲繼，一步步走向滅亡的深淵。楊訓偉爲中國人民抗日戰爭立下了不可磨滅的戰功。緣于這一卓著功勳，楊訓偉榮膺中國政府頒發的「陸海空軍武功狀」。此武功狀已於二零零二年五月十六日爲中華人民共和國國家博物館所永久收藏。

值此中國人民抗日戰爭勝利七十周年，特將空軍史學家陳應明先生所繪之炸橋景象印刷千份廣為流傳，以之紀念中國空軍英雄楊訓偉獨機炸毀日寇軍事補給線樞紐之至偉厥功，同時紀念所有爲抗日戰爭而捐軀的中國空軍將士和所有爲援華抗日而犧牲的美國飛虎隊與第十四航空隊官兵，紀念爲抗擊日寇而以身殉國的全體中國軍民。爲抗日戰爭而犧牲的英烈們與日月同輝，與山河同在，浩氣長存，永垂不朽！

華藏山社

二零一五年八月十五日

先父摄于 B-25 驾驶舱

先父与机组人员摄于 B-25 轰炸机

碑文

民國九年，先嚴肇元。
少小苦讀，文武俱全。
矢勤矢勇，自奮黽勉。
倭妖侵華，肆無忌憚。
四野飆馳，禹域腥羶。
光華復旦，先嚴志堅。
投筆從戎，獻身抗戰。
雄鷹為騎，翔翥藍天。
雲裂霧穿，剛及屨劍。
一九四四，八月之三。
先嚴受命，電掣河畔。
忘死舍生，切齒投彈。
敵寇喪膽，橋化塵煙。
鐵蹄西踏，頓作夢魘。
吾父神勇，英雄孤膽。
神州振奮，武功狀頒。
功垂青史，彪炳晶圓。
征程風雨，無悔無怨。
萬里崎嶇，克勤克儉。
貞志不休，無愧軒轅。
猗歟大哉！丹心拳拳。
英靈在天，精誠共鑒。
吾輩後胄，永志不諼。
忠以報國，明禮大觀。
誠以為民，傾力輝纘。
誓化災沴，追承績獻。
佑啟後昆，萬代成瞻。
恢弘父烈，吾輩無忝。
靈其鑒止，永垂河山！

中國空軍英雄楊訓偉獨機炸毀日寇軍事補給線樞紐紀實

一九四四年，第二次世界大戰正處於戰略轉捩點，同盟國與協約國的戰爭態勢發生了根本性轉變，同盟國由戰略防守變爲戰略進攻。在歐洲戰場上，蘇聯紅軍對法西斯德國的戰爭取得節節勝利，德軍疲於奔命，傷亡慘重，敗象畢露。這樣遂使美國騰出兵力，開始加強在東方的作戰力度。該年伊始，美軍佔領了馬紹爾群島的主要島嶼，進而威脅到日本本土之安危，並使日軍面臨著自身海上交通線被一舉切斷的局面。爲挽回頹勢，日軍於這年四月間傾其全力，孤注一擲，發動了迴光返照的豫湘桂戰役。這一戰役旨在打通由中國東北地區南達廣州與南寧的大陸交通線，以利於救援已侵佔南洋諸島的日寇孤軍，同時建構中國大陸地區的日軍物資補給線，爲長期作戰做好準備。日寇發動這一窮兵黷武戰役的啓始點就在河南。該年春夏之交，日軍先後佔領了鄭州、許昌、洛陽，僅月餘時間就攻佔了河南省全境，打通了平漢線。隨後，日軍大舉向湖南進攻，其勢洶洶，兵鋒甚銳，從五月底到八月初佔領了長沙、衡陽。進而大舉南犯，連續佔領廣西之桂林、柳州與南寧，繼而與自越南北犯之日軍會合。至此，由中國東北直至越南河內的大陸交通線，到底被日本侵略軍打通了。這場史稱豫湘桂的戰役，是中國軍隊抗戰以來最爲慘烈的大戰，日寇傾其能調動的全部軍力，倡狂進攻，致使我六千餘萬同胞遭到敵寇蹂躪，二十多萬平方公里的國土淪喪於敵手。面對這種嚴重的形勢，爲扭轉不利的戰爭格局，從中間位置切斷日軍萬裡交通線，腰斬其支援長期戰爭的軍事補給線，盟軍中國戰區統帥部決定，出動空軍轟炸機炸毀平漢鐵路河南段的黃河鐵橋。一九四四年八月三日，中美空軍混合團派出第一大隊優秀的飛行員楊訓偉，駕駛B—25低空轟炸機，攜帶延期信管一千磅的炸彈三枚，千里疾掣，飛臨目標。楊訓偉將生死置於度外，英勇無畏，俯衝至五十公尺高度，從鐵橋北端投彈，彈彈命中，炸毀橋墩兩座，炸得日寇守軍灰飛煙滅，鐵橋頓時坍塌。由此，日軍的大陸交通線中斷，軍事補給線難以爲繼，一步步走向滅亡的深淵。楊訓偉爲中國人民抗日戰爭立下了不可磨滅的戰功。緣于這一卓著功勳，楊訓偉榮膺中國政府頒發的「陸海空軍武功狀」。此武功狀已於二零零二年五月十六日爲中華人民共和國國家博物館所永久收藏。

値此中國人民抗日戰爭勝利七十周年，特將空軍史學家陳應明先生所繪之炸橋景象印刷千份廣為流傳，以之紀念中國空軍英雄楊訓偉獨機炸毀日寇軍事補給線樞紐之至偉厥功，同時紀念所有爲抗日戰爭而捐軀的中國空軍將士和所有爲援華抗日而犧牲的美國飛虎隊與第十四航空隊官兵，紀念爲抗擊日寇而以身殉國的全體中國軍民。爲抗日戰爭而犧牲的英烈們與日月同輝，與山河同在，浩氣長存，永垂不朽！

華藏山社

二零一五年八月十五日

先父摄于 B-25 驾驶舱

先父与机组人员摄于 B-25 轰炸机

碑文

民國九年，先嚴肇元。
少小苦讀，文武俱全。
矢勤矢勇，自奮黽勉。
倭妖侵華，肆無忌憚。
四野飆馳，禹域腥膻。
光華復旦，先嚴志堅。
投筆從戎，獻身抗戰。
雄鷹為騎，翔翥藍天。
雲裂霧穿，剛及屨劍。
一九四四，八月之三。
先嚴受命，電掣河畔。
忘死舍生，切齒投彈。
敵寇喪膽，橋化塵煙。
鐵蹄西踏，頓作夢魘。
吾父神勇，英雄孤膽。
神州振奮，武功狀頒。
功垂青史，彪炳晶圓。
征程風雨，無悔無怨。
萬里崎嶇，克勤克儉。
貞志不休，無愧軒轅。
猗歟大哉！丹心拳拳。
英靈在天，精誠共鑒。
吾輩後胄，永志不諼。
忠以報國，明禮大觀。
誠以為民，傾力輝纘。
誓化災沴，追承續獻。
佑啟後昆，萬代成瞻。
恢弘父烈，吾輩無忝。
靈其鑒止，永垂河山！

中國空軍英雄楊訓偉獨機炸毀日寇軍事補給線樞紐紀實

一九四四年，第二次世界大戰正處於戰略轉捩點，同盟國與協約國的戰爭態勢發生了根本性轉變，同盟國由戰略防守變爲戰略進攻。在歐洲戰場上，蘇聯紅軍對法西斯德國的戰爭取得節節勝利，德軍疲於奔命，傷亡慘重，敗象畢露。這樣遂使美國騰出兵力，開始加強在東方的作戰力度。該年伊始，美軍佔領了馬紹爾群島的主要島嶼，進而威脅到日本本土之安危，並使日軍面臨著自身海上交通線被一舉切斷的局面。爲挽回頹勢，日軍於這年四月間傾其全力，孤注一擲，發動了迴光返照的豫湘桂戰役。這一戰役旨在打通由中國東北地區南達廣州與南寧的大陸交通線，以利於救援已侵佔南洋諸島的日寇孤軍，同時建構中國大陸地區的日軍物資補給線，爲長期作戰做好準備。日寇發動這一窮兵黷武戰役的啓始點就在河南。該年春夏之交，日軍先後佔領了鄭州、許昌、洛陽，僅月餘時間就攻佔了河南省全境，打通了平漢線。隨後，日軍大舉向湖南進攻，其勢洶洶，兵鋒甚銳，從五月底到八月初佔領了長沙、衡陽。進而大舉南犯，連續佔領廣西之桂林、柳州與南寧，繼而與自越南北犯之日軍會合。至此，由中國東北直至越南河內的大陸交通線，到底被日本侵略軍打通了。這場史稱豫湘桂的戰役，是中國軍隊抗戰以來最爲慘烈的大戰，日寇傾其能調動的全部軍力，倡狂進攻，致使我六千餘萬同胞遭到敵寇蹂躪，二十多萬平方公里的國土淪喪於敵手。面對這種嚴重的形勢，爲扭轉不利的戰爭格局，從中間位置切斷日軍萬裡交通線，腰斬其支援長期戰爭的軍事補給線，盟軍中國戰區統帥部決定，出動空軍轟炸機炸毀平漢鐵路河南段的黃河鐵橋。一九四四年八月三日，中美空軍混合團派出第一大隊優秀的飛行員楊訓偉，駕駛B—25低空轟炸機，攜帶延期信管一千磅的炸彈三枚，千里疾掣，飛臨目標。楊訓偉將生死置於度外，英勇無畏，俯衝至五十公尺高度，從鐵橋北端投彈，彈彈命中，炸毀橋墩兩座，炸得日寇守軍灰飛煙滅，鐵橋頓時坍塌。由此，日軍的大陸交通線中斷，軍事補給線難以爲繼，一步步走向滅亡的深淵。楊訓偉爲中國人民抗日戰爭立下了不可磨滅的戰功。緣于這一卓著功勳，楊訓偉榮膺中國政府頒發的「陸海空軍武功狀」。此武功狀已於二零零二年五月十六日爲中華人民共和國國家博物館所永久收藏。

值此中國人民抗日戰爭勝利七十周年，特將空軍史學家陳應明先生所繪之炸橋景象印刷千份廣為流傳，以之紀念中國空軍英雄楊訓偉獨機炸毀日寇軍事補給線樞紐之至偉厥功，同時紀念所有爲抗日戰爭而捐軀的中國空軍將士和所有爲援華抗日而犧牲的美國飛虎隊與第十四航空隊官兵，紀念爲抗擊日寇而以身殉國的全體中國軍民。爲抗日戰爭而犧牲的英烈們與日月同輝，與山河同在，浩氣長存，永垂不朽！

華藏山社

二零一五年八月十五日

先父摄于 B-25 驾驶舱

先父与机组人员摄于 B-25 轰炸机

碑文

民國九年，先嚴肇元。
少小苦讀，文武俱全。
矢勤矢勇，自奮黽勉。
倭妖侵華，肆無忌憚。
四野飆馳，禹域腥膻。
光華復旦，先嚴志堅。
投筆從戎，獻身抗戰。
雄鷹為騎，翔翥藍天。
雲裂霧穿，剛及屨劍。
一九四四，八月之三。
先嚴受命，電掣河畔。
忘死舍生，切齒投彈。
敵寇喪膽，橋化塵煙。
鐵蹄西踏，頓作夢魘。
吾父神勇，英雄孤膽。
神州振奮，武功狀頌。
功垂青史，彪炳晶圓。
征程風雨，無悔無怨。
萬里崎嶇，克勤克儉。
貞志不休，無愧軒轅。
猗歟大哉！丹心拳拳。
英靈在天，精誠共鑒。
吾輩後胄，永志不諼。
忠以報國，明禮大觀。
誠以為民，傾力輝纘。
誓化災沴，追承績獻。
佑啟後昆，萬代成瞻。
恢弘父烈，吾輩無忝。
靈其鑒止，永垂河山！

穀倉法炊老闆以設計起家，對於企業形象、品牌經營是箇中能手，並將自己獨到的美學觀點灌注在餐廳設計上。老闆大膽將二樓及三樓的樓地板部份打掉，除了形成挑高的空間，樓與樓間也有更多層次變化；水泥地樓梯，和二、三樓間刻意保留的紅磚牆面，營造出古樸的鄉間氣氛；木頭桌子使用廢棄的木條拼組而成，椅子形式各異，有的是台灣大學不要的課桌椅，有的甚至遠從法國鄉間某中學而來。擺在一樓吧台前的兩張破舊圓凳，還是老闆特地從老工廠搶回來的，即便只是兩張有點生銹的圓鐵凳，擺在穀倉法炊空間中就是顯得很有型。

以南法田園菜式完成的夢想

經過老闆巧思，原本只是一幢巷弄間的四層樓老舊建築徹底改頭換面，在質樸、醇厚的氛圍中不失時尚感。穀倉法炊其實是先將外觀打造好，才慢慢找到料理團隊，最後終於以南法田園菜式完成夢想中的最後一塊拼圖。

到訪時正值炎炎夏日，穀倉法炊為我們準備了適合夏日的新菜色「夏日雞咕叫」套餐。首先呈上「三綠香草蟹肉法式紅茄冷湯」，蟹肉佐以蒔蘿、義大利巴西里、薄荷為主要香料的蕃茄冷湯，加上少許蟹肉凍，辛辣卻不刺激的滋味，相當適合夏天；前菜「醋漬鯷魚疊水牛奶白酪起司小高塔」，將水牛起司與醋漬鯷魚一起品嚐，水牛起司溫和的乳香氣味與略酸的鯷魚完美結合，吃起來一點也不膩口；在主菜上桌之前，先來一道「沙沙小冰杯之椰香鳳梨綠柚」，酸酸甜甜的滋味加上口感獨特的椰香泡泡，特別有夏天在海邊的感覺，且能去除先前口中食物的味道；主菜「鴨肝法國雞肉捲佐蜂蜜雪利酒漬酸甜彩蕃茄與芝麻菜」登場，去骨雞腿肉以攝氏六十度低溫烹調，維持鮮美Q嫩的肉質，外皮再以大火煎烤，增加香脆口感，雞肉中心裹上香醇順口的鴨肝，更加深了整體的豐富度，是相當適合夏季的菜色。

不論是約會中的都會OL，還是司機接送到門口的貴婦，坐在穀倉法炊裡用餐，品嚐到的除了主廚高超的料理手法，或許還有更多主人接待朋友的心意。＊

穀倉法炊 Barn Canteen
add 台北市中山北路二段16巷3號
tel 02-2523-3277
time 11:30~22:30，點餐至21:30。
price 晚間套餐1380元、1480元、1580元。

01老闆大膽將部份樓板打掉，讓空間更有變化。02三綠香草蟹肉法式紅茄冷湯03醋漬鯷魚疊水牛奶白酪起司小高塔04古早風味的白瓷磚吧台，前面的兩張圓凳來自老工廠。05迷迭香加鳳梨汁的冰沙瓦雙人舞

Nonzero 非零餐廳

味蕾的純淨感動

text 鄭貴云　photo 高伊芬

01

位在台北東區小巷一個安靜角落的 Nonzero，沒有醒目招牌，但只要經過就會忍不住被它明亮、溫暖的風格吸引。對 Nonzero 來說，健康僅是飲食的基本要素，他們真正要傳達的是一種輕鬆的「飲食美學」。

在 Nonzero，「吃」是很嚴謹，也很輕鬆的事情。嚴謹的是，這裡的餐點絕對不使用會對人體造成負擔的氫化植物油、味精，而是以純天然的海鹽、過濾後的淨水來入菜；食材上，則與多家有機農場合作，例如：劉力學臨海農場、彰化覃優生物科技農場…等等，針對不同菜色尋求合作的農夫也不一定。這些聽起來繁瑣的「尋寶」過程，對 Nonzero 來說不是苦差事，倒像是一種甜蜜的負荷。

輕鬆玩味飲食美學

主廚每天會上市場找些當日現選的蔬菜、海鮮，遇到了好食材，為菜單做些小變動，是 Nonzero 的「慣例」，而這也是來此用餐有趣的地方。加拿大干貝食蔬搭配烤蘋果、烤鴨…等，都是可以體會出廚師功力的菜色。烤鴨選用了宜蘭的豪野櫻桃鴨，為了保留好食材的原味，Nonzero 不會將鴨肉煎得過熟，遇到了偏好吃全熟肉的客人，也會請對方務必試試這最純粹的美味，有不少人嘗試後才知道，原來鴨胸可以這麼好吃！此外，鴨油炒

極味限定

Nonzero 每一季都會更換菜單，其中鴨肉是一大招牌，前季的烤鴨胸在鴨肉表皮的油脂稍微融化後便起鍋，這種半生熟作法是道地的法式料理作風，可以吃出肉質的鮮嫩且不腥臭。新一季的油封鴨腿以鹽和鴨油經過低溫長時間加熱而成，也是法國傳統保存鴨腿香嫩口感的方法。

01&02這裡選用的蔬果皆來自精挑細選過的有機農場 03有機蔬果可選購回家04和餐廳一樣簡單乾淨的風格05精緻的擺盤充滿藝術感

什錦蕈菇、玉米粗麥糊，也是不可錯過的配菜。

喜歡享受蔬果的清新滋味，Nonzero 的沙拉和前菜絕對不會讓你失望！光是一道季節生菜搭配溫泉蕃茄佐新鮮香草沙拉，就用了多種不同的番茄，包括來自宜蘭礁溪的桃太郎、嘉義太保的無毒小番茄⋯等等，利用油漬、鮮切等不同料理手法來呈現番茄的各式風味，尤其是油漬蜜蕃茄，真是甜美到令人忍不住懷疑是不是加了糖，但其實它什麼都沒加，而是利用了上等的橄欖油來浸漬，因此即使不做任何調味，也能很美味。

在 Nonzero 的料理中，運用多種橄欖油，不同菜式搭配不同種類，菜單上都有對這些橄欖油的介紹，並附上建議的使用方法。或許是因為這些精選而來的橄欖油，使 Nonzero 的麵包也十分受歡迎，每每都有客人忍不住一口接一口，差點連吃主餐的胃容量都不夠了。將以天然酵母做成的雜糧麵包，蘸上一點加入陳年酒醋的橄欖油，即使只是簡單的麵包，Nonzero 都認真地展現出令人難忘的實在美味。

01木製桌椅帶來一股歐洲鄉間的風味02精緻美味的套餐03充滿家庭溫馨感的擺設04&05讓視覺與味覺同樣豐厚的料理06不同菜式就搭配不同種類的橄欖油，品牌多樣，如來自法國的A'Loliver、西班牙的Merula及澳洲的Dandargan等等。07Antipodes礦泉水

05

04

溫暖味蕾與人心的非零體驗

仔細看看 Nonzero 空間的裝飾，你會發現許多角落都擺著空著的 Antipodes 玻璃罐，流露出一種隨性的居家風格；Antipodes 是來自紐西蘭的瓶裝水品牌，水源來自於能自然再生的含水層，被謂為紐西蘭最純淨的水，也連續被評價為世界最好的水，並附有「碳中和」、「零食物里程」…等環保概念，來 Nonzero，只要多加一點費用，就可以不受限制地享用到純淨的 Antipodes。

座位不多，Nonzero 給人的是一種彷彿回家吃飯的溫馨感受，原木餐桌、玻璃櫃裡的舊瓷器、由回收木板砌成的牆、古董家具，連椅子都是自四處蒐集來的，沒有統一格式。來這裡吃飯就像在一個好朋友家聚會，不用面對制式化的冰冷設計感，而是沉浸在溫暖之中。不只有美味在舌尖散開，那些人與人間的冷漠、疏離，也在 Nonzero 裡被消融了。果然，一頓美好的晚餐，是可以帶來幸福的！ *

07

06

Nonzero非零餐廳
add 台北市大安區仁愛路四段27巷4弄5號
tel 02-2772-1630
time 週一~五11:30~21:30，週六、日11:00~22:00，週二休。
web www.nonzero.com.tw
price 晚間套餐900元、1200元、1500元。

白宮私宅

重返流金歲月

text Dominique **photo** 何忠誠

01

沿著轉角巷弄走進一幢白色洋樓，推開門，穿過庭院花園走進大廳，長桌式吧台對應著壁櫃上整列的酒，還沒入夜，微醺的氣息卻悄悄蔓延。

沿著圓木樓梯扶手緩緩步上白宮私宅二樓，巴洛克式水晶燈照亮整個空間，角落裡的立鐘敲響著歲月時光，彷彿回到百年前的某月某日，一場豪華私人盛宴正在此展開，來自各國的駐外使節穿著燕尾西服正等待著主人舉起紅酒杯……

專屬的浪漫空間

低調、隱密的白宮私宅餐廳，以簡潔、優雅的歐式風情帶領賓客進入各自無限想像的故事裡，橫臥的古董沙發、窗花玻璃、維多利亞雕花燭台，以及貼滿古典花色的磁磚浴室，營造出濃濃居家風格。完全預約式的作風，專屬私人用餐的私密空間，加上量身訂製的套餐料理，彷彿隆重受邀至朋友家作客般的榮寵，正是所謂「私宅」餐廳別於一般店家的最大特色。

衝著主廚梁振業和寶師傅的名號，白宮私宅的美食料理是吸引許多老饕前來品嚐的最大原因。融合港式與法式風格精心設計的中西合併套餐，共計有七道菜，平均每三個星期會換一次菜色，每一道菜的細節安排，都暗藏著主廚的巧思與考量，梁師傅說，給予客人最好的回饋就是他最大的成就。

貼心的客製化口味

客人在預約的時候，可提前告知自己偏好的口味，讓廚房可事先準備。令人感到貼心的是，白宮私宅除提供品酒建議之外，更歡迎賓客自行帶酒，且不收開瓶費，讓每個人能將白宮私宅當自家餐廳那般舒適自在，而毋需受限於各種規定。

講究原味，不作過多烹飪、添加太多味素的白宮私宅套餐，力求呈現出讓賓客能吃得健康更吃出美味的豐盛饗宴。經由長時間熬煮的雞燉排翅湯，香醇甜美的金黃色湯頭不僅盡顯主廚的高超廚藝，更加展露廣東料理的經典風味。

甜中帶鹹，卻又保持米飯口感的櫻花蝦拌鮭輪黃金飯，讓味蕾多了不同層次的口感；以黑鮪魚涼拌蕃茄洋蔥，並搭配略帶苦味的比利時生菜的黑鮪魚蕃茄沙拉，攪拌著吃別具清爽滋味；原味煎烤羊排佐配獨門醬汁並灑上海鹽，讓鮮嫩的肉汁融化在嘴裡的爐烤法式羊排，忍不住一口吃完。＊

白宮私宅
add 台北市中山北路六段186巷3號
tel 02-2831-8420
time 18:00~22:30，週日休。
web www.whitehouse186.com
price 1800元起

01鮮嫩的烤羊排**02**口感豐富多變的拌飯**03**白宮私宅的美食融合港式與法式風格**04**典雅的裝潢擺設

極味限定
採預約制，完全沒有菜單的私宅餐廳，網站上提供的松露套餐菜式為參考用，如果你喜愛松露口味，可於預約時說明，主廚在料理時就會特別為你加入一些松露的元素，例如沙拉會灑上一點松露油、牛排以少許松露鹽佐味等等。

Justin's Signatures
星國御廚的尋味樂趣

text balthus **photo** 周治平

01

03

02

05

04

行車至敦化南路的靜巷裡，我們不確定是不是找到正確的地方，門面低調已極的餐廳實在不是那麼好辨認。我們在一個微涼的中午，抵達郭文秀在台北開設的第三間餐廳，饕客食坊（Justin's Signatures）。

來自新加坡的郭文秀，以「星國御廚」的形象為人所知，目前在新加坡、香港、台灣皆開設餐廳。郭文秀在台灣的第一間餐廳是位在台北市雙城街的 Le petit cuisine，是地下室的空間，後來轉移到長榮桂冠飯店後空間寬敞許多，但也有熟客反應，很懷念原先在雙城街時親近、隱密的氣氛，這也是郭文秀開設 Justin's Signatures 的原因之一。

精緻的用餐氛圍

郭文秀以基本的法式手法做出創意菜色。「我是用食材做菜，食材不好的話菜就不行，我們的醬不是很重（heavy），都是用高湯來做。」用心去做菜，把最好的都放在桌上。盤飾的花都是新鮮、不是冷凍的，蛤蠣有時候甚至是野生的，「我們買很多魚，黑喉、紅喉、馬頭、迦納這些都是小魚，這些魚老饕吃了就知道這是好料。」

著重細節的精神也從 Justin's Signatures 的空間和餐具上看得出來。一共有三種圖案的瓷盤出自中國當代藝術家林海容之手，是專為此處所設計。品酒用的水晶杯來自德國品牌 SPIEGELAU，這裡沒有開瓶費，但自己帶酒來要收每一個杯子的使用費，因為每個都是這裡的投資。CHRISTOFLE 的銀製餐具來自法國，在餐具上都有一定要求。

專屬而專業的服務

除了餐具和空間，郭文秀甚至和澳洲維多利亞省的酒莊合作，專門釀製有郭文秀名號的葡萄酒，郭文秀笑著說：「這是限量版的！」

Justin's Signatures 只要十到十五位就可以包場，所有人只為一組客人服務。郭文秀說：「Justin's Signatures 不大也是為了專業。有上海、香港客人來了這裡以後說，他們在當地吃不到這樣的感受；有些客人會希望可以提供主廚套餐（Chef Menu），只要提早告訴我，我可以去買、去進口最好的食材，做出來的是專屬的服務。」

拜訪過 Justin's Signatures 的名作家李昂就這麼描述：「這裡對自己或要招待的人來說是很尊寵的地方。」正是因為對細節照顧到了，再加上對食物的熱情，才讓每個用餐的客人都覺得備受榮寵。＊

Justin's Signatures
add 台北市敦化南路二段265巷17號
tel 02-2736-8000
time 12:00~15:00、18:00~22:00，每月第二、四週日休。11:00~16:00。
price 套餐2280元或3800元

極味限定
嚴選食材的郭文秀，在用料上十分大器，即使是前菜的馬鈴薯冷湯裡，使用的是澳州進口馬鈴薯加上松露奶泡，還會擱上三片松露。正如郭文秀給人的感覺，他的料理一樣傳達出歡快、明亮的氛圍，但也著重細節。

01蒸深海魚佐野生蛤蠣與龍蝦鉗配西洋芹奶油醬汁02明蝦餃佐龍蝦醬汁03用餐空間不大，卻處處講究。04炭烤肋眼牛肉佐嫩時蔬05星國御廚郭文秀

星辰酒窖
美食與葡萄酒的感動共舞

text 洪禎璐　photo 周治平

01

與情人一起攜手前來，在爵士樂輕飄的空間裡，輕鬆自在地享用葡萄酒佐菜餚的感動美味，讓人不禁想起兩人相遇時刻，那震撼心靈深處的強烈共鳴波動。

扶著印有蝴蝶圖騰的方形手把，推開紅色大門，映入眼簾的是一個與人等高的鍛鐵瓶身少女藝品，就立在大面綠色蛇紋大理石前方，加上兩側的書法作品，一入門就能感受到林老闆在空間上欲融合歐洲及台灣風情的意圖。

藏酒豐富的葡萄酒酒窖

通往地下室的階梯由球形水晶吊燈和盛裝葡萄酒瓶蓋、軟木塞的大葡萄酒杯引路，首先來到的是酒商專櫃展示廳，兩側各式各樣的葡萄酒琳瑯滿目，讓人眼花撩亂。然而，最精彩的是位在同一層樓的兩座酒窖，一座是已可點購的葡萄酒酒窖，一座則是擺放一箱箱林老闆私藏葡萄酒的酒窖，總計約有五萬瓶、品項達八百種左右，可說是全亞洲藏酒最豐富的酒窖。

擺脫一般人對於葡萄酒餐廳是壓抑、拘束的刻板印象，星辰酒窖強調自然原始、舒服輕鬆的用餐氛圍，因此木桌皆以原貌呈現，不鋪設桌布。其中，在右側廂房裡，還擺放了一整面牆的葡萄酒木箱，更營造出在酒窖裡品酒用餐的氛圍。

葡萄酒與食物迸發的感動

喜歡美食的林老闆有感料理師父的手藝終究有限，所有食物還是自然原味最好吃，不過，當天然食材遇上對味的天然葡萄酒，卻能突破手藝的限制，產生「一加一等於三」的感動，因此一頭栽入收藏與投資葡萄酒的世界。

林老闆強調，葡萄酒是佐餐酒，一定要佐菜餚享用，才能品出它真正的美味。在酒窖附設的餐廳裡，林老闆特聘熟知葡萄酒的焦主廚設計佐酒菜單，並依時鮮隨機發揮。同時，每個月固定推出一次品酒餐會，一整年下來就能嚐遍全世界的葡萄酒。為了方便愛酒人士，現在六至十人的團體只要在三天前預約，就能自選時段及預算來舉辦品酒餐會。

品嚐葡萄酒時，必須掌握口味由淡到厚重、由粗獷到細緻、由簡單到複雜的大原則，同時必須搭配合適的杯子與對味的菜餚，才能突顯其美味。每一杯醒好的葡萄酒，能讓人看見蝴蝶在飛舞，再佐以對味的菜餚，更能給人雙重感動。＊

星辰酒窖
add 台北市辛亥路二段195號B1
tel 02-2738-3299
time 15:00~17:30、18:00~23:00，週日休。
web www.starwine.com.tw
note 因座位有限，最好於三日前預約。
price 套餐約1500元起

極味限定
來此用餐，建議可以來自勃根地、有著淡果香的2000 BEAUNE CLOS DES URSULES，搭配義大利帕瑪風乾生火腿包水梨；再以重口味的2004 CUVÉE ARTHUR，搭配由50%新鮮鵝肝製成的鵝肝醬佐麵包；最後以爽口的2004 Château Ludwraut波爾多甜酒，搭配蘋果派佐新鮮水果。

01鵝肝醬佐麵包適合搭配重口味的酒**02**爽口的波爾多甜酒搭配蘋果派**03**座位不多，最好能提前預約。

亞都麗緻天香樓

酒杯裡的美味大團圓

text李芷姍　photo 周治平

01

03

提供傳統道地杭州菜的天香樓，散發著江南文人氣息，卻以現代時尚的手藝妝點出年輕活力。傳統與時尚，在這裡激盪出新的生命。

02

在中菜界堪稱天王級的亞都麗緻酒店天香樓，是許多人吃團圓菜、喜慶宴客的首選，尤其當細膩綿長的杭菜遇上滋味豐富的葡萄酒，可想而知，一場口腔內的五四運動即將展開。

承襲與創新，杭菜新世界

位於亞都麗緻酒店的天香樓，以醇厚、纖細的杭州菜和頂級環境與服務，長久以來在中菜界執牛耳地位。杭州菜的特色在於「淡中有味，餘韻無窮」，從清淡調味裡蘊釀出甜味與香氣，西湖醋魚、龍井蝦仁、東坡肉等都是杭州菜的代表作。天香樓傳承自香港天香樓的正統杭菜手藝，初代主廚邱平興及曾秀保都是到本店正式拜過師的。在遍地江浙餐館的台灣市場中，天香樓豎起了杭菜的旗幟，一做就是二十多個年頭。

沿襲老師傅的精湛手藝，天香樓不以傳統故步自封，反而致力開發出融合古今中外的新中國菜，以杭菜慢工細活的傳統手法為本，再依現代人的飲食喜好衍伸出各種可能性。創意菜「生翅菲力牛排」紅

極味限定

天香樓招牌菜有東坡肉、龍井蝦仁、神仙鴨湯等，遠近馳名，尤其是東坡肉，以慢水水煮，滷汁清香、爽口，簡直可以當湯來喝。再佐以甜味較輕的雪利酒，更能提升肉的甜味，是奢侈而幸福的搭配。

01生翅菲力牛排02散發著人文氣息的天香樓03東坡肉以慢水水煮，滷汁爽口。04天香樓在中菜界執牛耳地位

04

01

燒大排翅搭配帶嚼感的生煎菲力，用紅燒來軟煨增味，創造出鮮香兼備、軟糯與彈牙巧妙平衡的斬新菜色。另外，蠟味飯則考量到現代人飲食的健康取向，將蠟味飯中的糯米改良成香Q有勁的紅糯米混香米，混入干貝、鮑魚、香菇等增鮮，並加上松子、花生粒、馬蹄丁，還有討喜的紅麴增加口感豐富與香氣，食材在口中輪番出場組成不同彈牙口感，果真是驚喜無限。

當杭菜遇上葡萄酒

滿桌佳餚自然少不了美酒相伴，在天香樓與其點紹興威士忌，倒不如來瓶葡萄酒佐餐更富趣味。畢竟亞都麗緻擁有收藏家一致推崇的完整葡萄酒藏，無論種類之豐或收藏之精在台灣飯店都屬頂尖。葡萄酒佐中餐不光是讓吃慣的菜餚有新滋味，酒中蘊含的酸、澀、果香等等複雜氣息，還能夠豐富味覺層次，使得中式料理鮮美而不輕浮、醇厚而不油膩。像是天香樓的招牌菜「東坡肉」，搭配甜味較輕的雪利酒，豐腴的熟成風味有提鮮效果，淡爽蘋果香氣去油解膩，更添肉類甜香。此外，「蠟味飯」配阿爾薩斯產白酒，清爽木實香與巧妙酸澀增加味覺立體感，藏在飯中的松子、干貝、蝦米等配料，口味一個個都浮現上來。

天香樓為顧客準備隨時準備了幾款合搭的酒類，但就像法式料理一樣，每道菜的滋味各有千秋，以一概之難免有失精準。有興致的話不妨借重亞都麗緻專業的酒侍文化，讓酒侍找出每道餐點的配酒，味覺的驚豔更加倍。

有些人總抱怨團圓菜大吃大喝卻食不知味，藉由佳餚與美饌的緊密嵌合，品嚐不同風味的中國菜，相信會得到不一樣的體驗。*

亞都麗緻天香樓
add 台北市民權東路2段41號
tel 02-2597-1234
time 12:00~14:30，18:00~22:00。
price 套餐1280元起

01色澤討喜的臘味飯02天香樓擁有全台灣數一數二完整的酒單03典雅的裝潢，流露江南文人風味。

Sowieso
南義風情 葡萄酒饗天地

text 洪禎璐　photo 李美玲

01

在奧地利學藝，並曾在當地開餐廳的洪老闆，為台灣少數兼具廚師手藝和侍酒師功力的大內高手。現在，他在這裡跟葡萄酒饕們一起分享食物和葡萄酒完美搭配的國際級絕妙滋味。

Sowieso 在一樓的木格落地窗前，擺設了一排露天座位和綠色植栽，顧客無法大剌剌直接走進去，得穿過建築旁綠意盎然的小巷道才能進入。這樣的安排讓用餐區享有完整的窗景，又不會被顧客進進出出的動線給打擾，能安靜愜意地享用美味餐飲。喜歡南義舒適風情的老闆，以具有穩定情緒、幫助開胃的土黃色為基調，適度搭配能讓人心情平靜的藍色和綠色，輕鬆舒適的空間，讓人能專心品味美酒佳餚。

來自奧地利的精實訓練

洪老闆在二十三歲到維也納國際觀光學院（WIFI）學習餐飲管理，在法國餐廳打工期間，主廚 Thomas Seiler 看出他「喜歡做菜，也愛喝葡萄酒」的興趣，刻意派他到外場擔任侍酒師，讓他練得一身好功夫。之後，他還在奧地利經營餐廳，一待就是十四年，為了陪伴父親度過晚年才返回台灣。

回到台灣後，洪老闆以葡萄酒專賣店起家，起先只有四張餐桌和一間能機動做料理給顧客配酒的小廚房，卻不知不覺累積了一群互相交換葡萄酒品飲的顧客，慢慢改以餐廳為主，並逐漸擴大到今天的規模。店內也不定時舉辦酒饗會，除了配合品酒單設計料理外，亦會邀請釀酒師來分享相關知識。

國際級餐飲配搭滋味

洪老闆表示，餐飲在歐陸指的正是食物和葡萄酒，這兩者有著一體兩面、不可分割的緊密關連。為葡萄酒配菜時，在掌握大原則和地緣關係之外，還必須仰賴經驗和靈感，才能選出最適合的菜餚。

來自紐西蘭的 CLOUDY BAY SAUVIGNON BLANC 2008，只經過第一道發酵，有著石榴、百香果等熱帶水果的香味，酸味濃重，適合搭配龍蝦球蟹肉塔冷盤等海鮮料理。此道冷盤的龍蝦球只以鹽水燙過，完全不加工；蟹肉塔則簡單調入橄欖油和鹽巴，皆嚐得到海鮮本身的鮮美。來自義大利的 SERRISTORI CHIANTI CLASSICO 2001，有著清爽、較多單寧的托斯卡尼風味，且使用晚摘葡萄釀製，帶有輕微甜度，適合搭配香氣和口感皆濃郁的彩椒鵝肝醬寬扁麵。＊

極味限定

這裡的每一道料理都有相應的酒與之搭配，例如，店內受歡迎的主餐之一現烤原味牛小排，適合佐以來自美國的 NEWTON NAPA VALLEY CLARET 2003，屬於波爾多混合酒風格，單寧夠厚實，且帶有深色水果和木桶的香氣，能提升軟嫩多汁的肉香。

Sowieso
add 台北市四維路88號
tel 02-2705-5282
time 週一~六11:30~14:30，18:30~22:30，週日休。
web www.sowieso.tw
price 套餐約700元起

01擺盤精緻的料理，每一道菜都有與之相襯的酒。02現烤原味牛小排03這裡不定時舉辦酒饗會

未成年請勿飲酒

小酒館 Sommelier

歷久彌新的味覺樂園

text Mori photo 周治平

01

03

在大直區漸漸群聚著新興豪宅和六星旅館的時候，小酒館依舊能與新生代的餐館抗衡，不斷變化的菜單和幽靜的氛圍，或許正是吸引老主顧與新食客的主要原因。

02

開業至今已十多年的「小酒館」，從明水路上尚未有今日可見的住宅、餐廳時，即在此打造了一處味覺樂園，即使店齡已十多年，「小酒館」努力於每季更換新菜色，在歐陸料理的基礎上加入創意變化，提供給老主顧與新食客更多重的味蕾享受！因此雖然距離捷運還有一段距離，交通上也與大直的熱鬧區域稱不上接近，「小酒館」仍保持著一定的口碑熱度。

源源不絕的料理創意

「小酒館」的女主人本業為室內設計師，原本只是打算將空間設計成能招待客戶喝杯咖啡的Café，卻在因緣際會下，以Wine Bar的形式開起了最初的「小酒館」；而曾任職於紐約雙子星大樓頂樓高級餐廳Windows on the world的張永康，則是帶領著「小酒館」一路成長至今的主要核心推手，熟悉紅酒、起司與料理的張經理，每天都會親自去選購店內需要的材料，新鮮、富有季節特色的食材，是他對料理的堅持。

最初只專做義大利菜的「小酒

極味限定

雖然每季就更換一次菜單，不過，也有大家捨不得的經典菜，是永遠都能在菜單上找到的，例如德式脆皮豬腳，以及甜點提拉米蘇，都很經典。如果不知道該從何處著手，也有「本週主廚推薦菜單」可以參考。

01色彩濃烈的大型抽象壁畫，是小酒館內美麗的風景。02這裡氣氛清幽03紅酒燉牛小排

01

館」，為了滿足熟客們的各式要求，轉成了類型更豐富的歐陸菜系，並積極投入於菜色的改良中，源源不絕的創意，使得「小酒館」能每季就換一次主廚菜單，午間套餐更新的程度更快達每月一次。

層次豐富的料理

到訪當天，「小酒館」為我們準備的菜色有前菜「酥炸鮮蝦米紙捲佐香橙醬汁」、主菜「紅酒燉牛小排」，甜點則是「藍莓起司蛋糕」。將新鮮草蝦、Mozzarella 起司包入越南春捲皮，再經過快炸的鮮蝦米捲，口感層次豐富，酥脆又有彈性，需佐清爽的柳橙醬汁入口，是一道充滿夏日季節感的前菜。擺盤猶如一幅普普油畫的「紅酒燉牛小排」，在牛小排的製作上，煞費苦心，先將紐西蘭牛排香煎，再放入以多種蔬菜熬成的醬汁裡燉煮三、四個鐘頭，肉質嫩而不柴，並保留了牛肉的鮮味；一旁的佐菜也不容小覷，以洛神花汁液熬過的蘋果，軟中帶脆，滋味

02

04

03

酸甜，要經過幾番咀嚼後，洛神花的獨特香氣才會在舌尖淡淡浮現。

甜點「藍莓起司蛋糕」上的藍莓醬，是師傅特別以新鮮藍莓慢煮，再加入蜂蜜、酒調味而成的獨家醬汁，讓起司蛋糕變成一道令人感覺無負擔的甜點，可說是外面找不到的清爽甜點。

來「小酒館」用餐，建議你點杯酒來助興一番，酒單有三百多種選擇，餐廳不僅主廚套餐裡已有配好的酒品，還提供客人對於選酒配菜上的特別服務，甚至還可以在這裡舉行私人的小型派對，加上環境幽靜，更使得「小酒館」吸引了不少科技業大老、明星們來用餐，享受這兒的美食與優雅氣氛。＊

05

小酒館Sommelier
add 台北市明水路553號
tel 02-2532-4707
time 12:00~14:30，17:30~22:30，全年無休。
web www.sommelier.idv.st
price 主廚推薦菜990元起

01&05小酒館氣氛幽靜，受到許多名人青睞。**02**小酒館酒單裡有三百多種酒可供選擇**03**藍莓起司蛋糕**04**每季都會根據季節調性更換菜單，這道清爽的前菜適合夏日品嚐。

小路的陽台

來自巴塞隆納的私家菜譜

text 李芷姍　photo 高伊芬

01

一切都是從永和四樓公寓的陽台開始，又或許在更早以前，當 Snow 與小路在巴塞隆納相遇時，這份私家菜譜就已經開始成形。

融合西籍主廚路易斯的家傳菜和 Snow 夫婦倆的創意發想，以及專屬西班牙的熱情洋溢，小路的陽台將西班牙道地家鄉味，傳達給千里之外的台灣顧客。一開始，小路的廚房還只是間藏身民宅、桌子用一雙手就能數完的隱密空間，後來吸引許多死忠顧客再三光顧，而成為「知者知之」的熱門私房餐廳。

陽台前的異國風情

故事從台灣女孩 Snow 和西班牙老公路易斯，決定回台灣落腳開始說起。本來就熱愛烹飪的兩人，因為 Snow 的異想天開，竟將永和租屋處陽台開放為預約制的私人餐廳。就像是宴請久違的朋友一樣，顧客在這裡分享豐盛又獨特的西班牙菜餚，暢飲果香濃郁的特調 Sangria，吃吃喝喝、品嚐不一樣的西班牙滋味，聽路易斯彈奏拉丁吉他…濃厚家庭味擄獲顧客的心與胃口，讓兩個業餘廚師無厘頭的夢想也逐步踏實起來。搬了一次家，小路的廚房終於重新以西班牙小酒館的面貌呈現顧客面前。

Snow 和路易斯的想法很簡單，那就是把西班牙媽媽的味道原汁原味地呈現出來。料理來源有些出自於路易斯從小的耳濡目染，有些是 Snow 居住巴塞隆納的四年裡，從朋友、烹飪學校學習而來。他們共同掌廚、研發菜譜，打造現在獨特的西班牙菜私家餐廳。

大家的私房菜

隨著在台灣的友人越來越多，店面越做越大，兩人收集到的菜譜也日益豐富，安達魯西亞地區的西班牙海鮮飯、地中海風格的鑲烤蕃茄、瓦倫西亞的香烤花枝…懷舊又迷人的傳統菜餚為親友智慧的集大成，經由兩人吸收改良後，又成為獨一無二的「小路家之味」。

路易斯和 Snow 希望能將這裡打造為朋友小酌聚首的溫馨酒館。「One space for 15 minutes」小路說，在緊繃的生活中忙裡偷閒，花個十五、二十分鐘躲到小路的陽台喝杯好酒，品嚐現做 Tapas 小菜。讓顧客在繁忙的都會生活中，也能為自己留下一片洋溢著西班牙陽光、美酒與音樂，像家一樣的悠閒空間。＊

小路的陽台
add 台北市松江路97巷12號
tel 070-1023-4649，0926-144-013。
time 11:30~21:30
web tw.myblog.yahoo.com/snowchidodo
note 晚間套餐須事先預約，至少兩人。
price 晚間套餐有三種價位：600元、800元、1100元。

01西班牙海鮮飯02Snow和路易斯03烤蕃茄中鑲入自製香腸肉，口感多變。04和主人沒有距離的小巧餐廳

極味限定
西班牙海鮮飯以小路家的家傳烹調法為基礎，加入西籍親友的靈感創意，再由 Snow 考量台灣飲食習慣和在地食材後調整而成。因此烹調使用最正統也是最麻煩的西式做法——由生米現場慢炒，但是口味上則配合台灣人，做出米芯香Q卻不夾生的口感。

寶萊納餐廳

德國鮮釀啤酒直送

text 洪禎璐　photo 李美玲

01

04

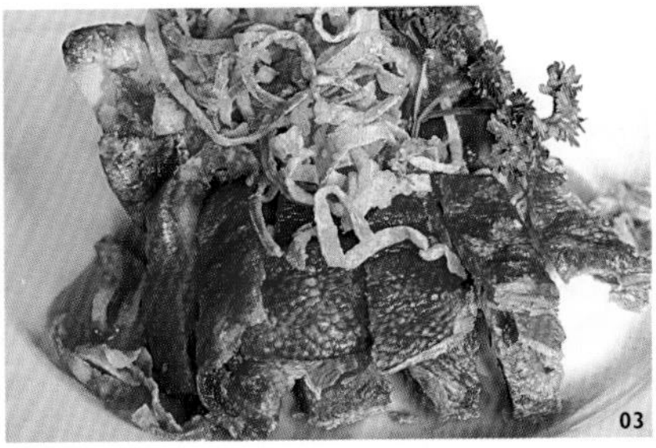
03

02

06

05

旗下擁有數個餐飲品牌的南橋集團，將上海成功經驗帶回台灣，在台北藝術大學的鷺鷥草原旁開設寶萊納餐廳，是個適合親友暢飲鮮釀啤酒、聚餐的好地方。

即便坐在室內，寶萊納餐廳也堅持讓每一桌的客人都能透過大面落地窗，看到窗外風景。室內用餐分為兩大區塊，靠近電影研究所的高側，為濃郁的紅黑色調復古咖啡館風格，牆上掛滿了老電影海報；還設有表演舞台，在午餐和晚餐時段，都有北藝大學生在此表演現場演唱或彈奏樂器。

北藝大中的自家鮮釀啤酒

以淺色原木為基調的用餐空間，天花板上刻意讓斜屋頂的木樑以原色外露，牆上也掛著各式各樣的巴伐利亞生活照和畫作，營造濃烈的德式風情。啤酒吧台也位在此區，可親眼欣賞調酒師用水龍頭將鮮釀啤酒注入杯中的畫面。

為了供應最新鮮的啤酒，南橋集團特別在桃園成立釀造廠，除了水之外，從原料、設備到釀製手法，全都來自德國啤酒品牌——寶萊納（Paulaner），這也是它之所以稱為寶萊納餐廳的緣故。釀造廠每天送來的鮮釀啤酒，保留了酵母菌，因此啤酒在倒入杯中後，味道會越放越厚實甘甜，不像一般啤酒會轉為苦澀。餐點以最傳統的巴代利亞食物為主，並依國人飲食習慣調整口味和品項，同時也可品嚐到南橋集團旗下的點水樓港式點心、烘焙麵包和卡比索俄羅斯冰淇淋，適合一家大小前來。

歡聚時刻的豪邁餐飲

這裡提供的啤酒飲品，共有黃啤、黑啤和黃啤雪碧三種。黃啤加雪碧是德國人的習慣喝法，可以搭配巴伐利亞肉腸拼盤。拼盤裡，有混合牛絞肉、豬絞肉和起士的起士腸，煙燻風味濃郁的維也納腸，散發淡淡香草味的豬肉腸，以及香草味濃郁的豬肉紐倫堡等四款。

有著濃郁焦糖的黑啤，可以搭配頂級紐約客牛排。這一道重達二十二盎司的牛排，是以香料醃過後，再放入烤箱烤至六分熟，很適合與眾親朋好友一起分食享用。

肉腸拼盤和德式烤豬腳佐食的酸菜和洋芋泥，做法也很實在。酸菜先以培根爆香後，再倒入雞湯一起炒過，單吃也有肉汁的香味；洋芋泥是將新鮮洋芋與牛奶拌勻混合，完全不加人工粉料，十分健康。＊

寶萊納餐廳
add 台北市北投區學園路1號（國立台北藝術大學藝文生態館旁）
tel 02-2891-7677
time 11:00~22:30
web www.wretch.cc/blog/paulaner
price 套餐860元起

未成年請勿飲酒

極味限定
一想到德國美食，就不能不提德國豬腳。最適合搭配德式烤豬腳的，是散發著麥芽香和果香的黃啤。豬腳先以德國進口香料醃製後，蒸烤兩個半小時，再高溫將外皮烤至酥脆，吃來完全不油膩，口感十分豐富。

01能夠在此暢飲鮮釀啤酒，是適合親友聚餐的好地方。02巴伐利亞肉腸拼盤03德式烤豬腳04保留活酵母的鮮釀啤酒05將鮮釀啤酒注入杯中06戶外露天座位

01

花酒藏 A-plus

曼哈頓時尚創意居酒屋

text 洪禎璐　photo Alan Lin

03

02

花酒藏 A-plus 引進曼哈頓 Fusion 風日本料理，完美結合日式料理手法和在地新鮮食材，搭配日本風味濃厚的時尚酒吧空間，是風格獨特的美式和風居酒屋。除此之外，它更是台灣少見的清酒吧。

位於安和路巷弄轉角口的花酒藏A-plus，門旁以綠竹盆栽圍起白色座椅的等候區，讓人忍不住多看幾眼。進門右側是以原木打造的吧台區，以木造吧台搭配方型皮革軟墊高腳椅、紅磚牆酒櫃和木地板，有著紐約蘇活區的不羈氣質。左側和後方則是寬敞的Lounge風格用餐空間，在灰色地毯上，以米駝色系沙發椅搭配木桌，黑色流蘇適度隔開各區座位；在黑色天花板下，以暗紅色流線格柵增添日式典雅氣質，紅牡丹金葉壁紙則為整個空間融入日式和服的華麗感，和料理一樣充滿濃厚的Fusion風。

花香濃郁的花漾清酒

花酒藏A-plus提供六十多款日本清酒，同時特別引進花漾清酒，並獨家推出清酒調酒，打破清酒只適合男性品飲的刻板印象，滑順口感再加上花果香，讓女性朋友也忍不住愛上它。

花漾清酒採用花果泡盛技術製成，將新鮮花瓣放入吟釀中浸泡九十六小時後取出，再以水割工法調整風味，濃郁的花香一點也不輸熱花茶，目前有薄荷玫瑰、桂花、茉莉花、晨光花園、雛菊等多款，很值得一嚐。清酒調酒則是將玫瑰酒、草莓酒、檸檬汁、柳橙汁等果香酒或是果汁，以特定比例加入清酒中，調製成多款調酒，香香甜甜的滋味，讓人難以忘懷。

美日台混血Fusion料理

原是美日混血的Fusion風日本料理，來到台灣之後，除了保留原有特色，也注入台灣血統，創造出另一種新式日本料理。像是包捲蟹肉泥和酪梨的加州捲、包捲燻鮭魚和起士的費城捲，還有將生鮪魚與明太子醬拌在一起後，再放在薯塊上大口享用的辣鮪魚DIY，都是道地美式吃法，而芒果蟲蟲捲就是結合台灣時令水果推出的創意壽司捲。

串成一口大小的黑毛豚辛味燒，採用絞製過的黑毛豬肉包裹去籽剝皮辣椒，塗上醬汁烤熟後，與柳橙果肉串在一起。一口咬下，濃郁的豬肉香氣迸散開來，柳橙酸輕鬆解去辣椒的辣，搭配來自新瀉縣、在木桶裡熟成一年的上善如水純米吟釀熟成最對味。 *

花酒藏A-plus
add 台北市安和路一段33號
tel 02-2731-9266
time 12:00~15:00，18:00~凌晨2:30（供餐至凌晨1:30）。
web www.aplusdiningbar.com.tw
note 最好先訂位
price 單點700~1200元

極味限定

將油脂豐厚的北海道進口鯖魚，略做去骨處理後再抹鹽烘烤的日本鯖魚鹽燒，肉質軟嫩多汁，適合搭配來自長野縣、酒味相對濃重卻十分順口的七笑純米酒，是這裡最受歡迎的吃法。

01日本鯖魚鹽燒適合搭配七笑純米酒 02黑毛豬肉包裹去籽剝皮辣椒，讓人一吃就上癮。03花酒藏意謂著繽紛多樣的酒窖

馬可波羅酒廊

洋溢義式風格的天空之城

text 李芷姍　photo 李美玲

01

座落在38層樓的高空上，馬可波羅酒廊以101大樓為襯景，俯視車水馬龍的台北大都會。千萬打造的頂級裝潢，讓這間酒吧彷彿是浮動在天空中的城堡，引領顧客居高臨下，在飄然情緒中感受摩登義國風。

挑高兩層樓的圓弧型落地窗，是馬可波羅酒廊的設計焦點。透過三十八層樓高的窗戶，台北一〇一大樓彷彿伸手可及，昂首傲立的大樓在陽光折射下，散發寶藍色的熠熠閃光，另一廂美麗華摩天輪平靜地輪轉著，將觀客帶入旖旎甜美的夢境中。

耗資兩千萬台幣年重新改裝的馬可波羅酒廊，以黑、白、紅三色為基本色調。白天是商務客運籌帷幄、貴婦們談天說地的精緻午茶吧，當太陽西沉、夜色漸深，則變身為時尚Lounge，以幽微燈光迎接尋找喘息空間的酒客們。璀璨耀眼的台北夜景，是馬可波羅呈獻給顧客的最佳獻禮。在酒精的催化下，窗外燈景顯得閃爍而迷濛，現實似乎被拋在遠處，遙不可及。

義國時尚風夢見地中海

由義籍主廚康傑男（Dario Congera）一手包辦設計與烹調，馬可波羅的餐點可是硬底子。十數道菜餚與隔壁的義式餐廳做區隔，設計成清爽精緻、可與朋友共享的義式小點。曾在台灣、上海、印尼等地掌廚，康傑男主廚揉合正統義國料理工法與亞洲風，烹調出切合亞洲人喜好的口味。

岩龍蝦沙拉佐酸甜醬為主廚東西合璧的展現，選用高級岩龍蝦，與檸檬、香草、蔬菜清煮入味，佐以酸甜爽口的酒醋醬汁，並搭配醋漬綜合青蔬。還有熱門甜點核桃雪藏糕，加了鮮奶油和核桃冷藏至半結冰，滿口都是濃郁核桃香，和進口的義大利醃櫻桃堪稱絕配。

馬丁尼的城市學

馬可波羅酒廊提供超過兩百種陣容堅強的酒精類飲料，其中以伏特加為主打酒款，產地橫跨法、俄、澳紐等。用小麥、馬鈴薯等原料製造的伏特加，除了常見的蜜桃、柑橘、覆盆莓之外，還有少見的蜂蜜口味。

搭配頂級美食美景，酒廊的調酒也是不遑多讓。多層次的調酒展現出調酒師的功力。Thin blue line以雪樹伏特加、白柑橘香甜酒以及藍柑橘香甜酒，製造出冷冽優美的三層比重效果。一口飲盡，讓清甜柑橘味與酒精在口中融和、揮發。＊

馬可波羅酒廊
add 台北市敦化南路二段201號（香格里拉台北遠東國際大飯店38樓）
tel 02-2376-3156
time 11:30~凌晨1:00
web www.feph.com.tw
price 單點300元起

01以岩龍蝦為主，再用淡爽中夾帶香草芬芳的醬汁豐富口感層次。02透過玻璃帷幕，台北東區以及信義、內湖景致盡收眼底。03義籍主廚相當了解台灣人的喜好

極味限定

沒有套餐，提供的是單點的義式美饌，主廚設計成清爽的義式輕食小點，吃起來毫無負擔。例如，香草炒磨菇佐義式香蒜麵包，每日挑選三種以上的新鮮菇類，加上辣椒、迷迭香等炒出香氣，是適合多人分享的下酒菜。

01

鹽之華

餐盤上綻放的法式經典

text 李芷姍　photo 石宗仁

03

02

05

鹽之花是一種飄浮在鹽田鹵水上的結晶，呈中空金字塔狀，是珍貴的海中之鹽，也是最負盛名的法國頂級海鹽。一如鹽之華的精神，採用珍貴的食材，引領我們進入時尚的法式饗宴。

在台中美術館前綠園道上，有一家格外低調的餐廳。純白拱門阻隔外界喧鬧，和周遭競爭激烈的餐廳相比顯得相當不起眼的公雞招牌，招呼著懂門道的客人前來體驗主廚黎俞君精心打造的美食饗宴。

鹽之華是黎主廚凝聚二十年歐廚經驗的心血結晶，這裡是她一展精湛廚藝的舞台，也是揮灑創意的遊樂場，走進店裡，就是放心把自己交給主廚，等待她大展身手來滿足空虛的肚腹與味蕾。

沒有菜單的餐廳

菜單只有一頁，輕輕爽爽地寫上三種價位。只要告知侍者不喜歡的菜色，接下來就靠主廚自由發揮。餐點內容有著無限可能性，肥美的鵝肝牛排、烤至淡粉色的小羊排、滿溢肉汁的春雞…而少見的鵪鶉、鹿肉、兔肉等野味也不時會出現餐盤上，熟悉的料理和初次嘗試的菜色，在她的巧手烹調下通通成為難以忘懷的巧妙滋味。對顧客而言，懷著忐忑心情期待一道道現身眼前

極味限定

在這裡點餐只有價位沒有菜單，因為菜色全存在主廚腦海中。隨著價位不同，有時候還會品嚐到鵝肝、松露或魚子醬等頂級料理。近來相當受到歡迎的鴨肝，也時常出現在鹽之華餐桌上。

04

01法式擺盤就像一幅畫一樣02&03寧靜、雅致的空間，氣氛浪漫。04結合冬貝鴨和貝隆鴨兩種口感，再搭配洋芋和糖煮蘋果。05充滿玩心的可愛甜點

01

02

的餐點，也增加不少享味之樂。

店內座位只有二十八個左右，侍者得以遊走各桌，向顧客介紹菜餚並推薦合適的酒類。我們的餐點從主廚特製的三種開味小品揭開序幕，山珍海味同時呈現盤中。隨著前菜、主菜一路走來，可以發現女性主廚獨特的細膩與巧思。像是米蘭皺葉包和牛佐冬季野菇，菇類馨香包裹著軟嫩的澳洲和牛，香氣與滋味兼具，濃郁中洋溢富足感，而視覺上又像是一幅大型畫作，富有藝術性。

美食好酒共醉人

黎主廚對於食材的品質近乎苛求，從義大利找來極品節瓜，在法國買進頂級鴨肉，向日本引進最肥美的北海道大干貝。彷彿料理節目找尋特選食材似的，每種原料都是精挑細選從產區直送，再烹調成感動人心的餐點。透過侍者的詳盡解說，顧客對餐點有了更深刻的認識，吃下肚的菜餚，原來從農夫播種開始，就是一段動人的故事。

餐廳酒藏看似隨性，只要是能夠搭配料裡，提升菜色美味的，不拘泥於產區或年份都有可能引進。主廚只要品嚐到滿意的酒類就會大量收購，並且存放在台北的專業酒窖中，保持風味不變，相當「個人化」的酒類收藏，讓店中不時會出現一些已經停產，或著是稀有年份的夢幻逸品。

一來是由於餐點的精緻奢華，二來或許是價位與氣氛的緣故，法式料理向來與紀念日畫上等號，鹽之華自然也不例外。有趣的是，餐廳中還有個相當特別的「求婚席」，巧妙利用樓梯下方延伸而出的空間，設計成具有隱密性的半開放式包廂，再灑上玫瑰花瓣增添浪漫氣息。果然在優美燭燈與美酒料理的催化下，女方沒有不點頭的，求婚成功率是百分之百呢。＊

03

04

鹽之華
add 台中市五權西四街114號
tel 04-2372-6526
time 14:00~23:00，週一休。
web www.fleur-de-sel.com.tw
price 晚餐有三種價位：1880元、2880元、3500元

01煙燻鮭魚佐魚子醬沙拉02千層派皮夾著三種不同口味的冰淇淋03入行二十餘年的主廚04米蘭皺葉包和牛佐冬季野菇

01

畢昂卡7街 Bianche 7 vie

玻璃屋裡的義法鄉村料理

text 洪禎璐　photo 黃裕順

03

愛吃義大麵的老闆、愛做義大利麵的主廚，在台中精誠商圈裡的玻璃屋裡，以美味的義法鄉村料理用心款待來客，每一道都是他們的最愛。

02

畢昂卡的原文「Biancha」是義大利文的「白色」，源起於當地的白色晚餐習俗。由於歐洲夏季晝長夜短，九點之後才會入夜，當有人說要招待白色晚餐時，便是要從白晝到黑夜，用心款待一頓豐盛滿足的晚餐。至於選用法文的「Vie」來代表巷弄，純粹是為了視覺美感。

溫馨的玻璃屋

L型的純白色玻璃屋，是由前任店家「藍天使咖啡館」打造的，何先生因為常來喝咖啡而跟老闆變成朋友，在老闆決定收手時將店頂了下來。六十九年次的何先生，早在大學時期就曾規劃過太平市酒桶山上的月光森林，對餐飲業有份夢想，也有經營管理的能力，於是便和二位國中同學、一個朋友，一起經營這家畢昂卡7街。

那位朋友其實就是主廚Stacey。Stacey踏入料理界的過程有點誤打誤撞，當初她原本是義大利餐廳的外場服務員，因為廚房缺人手而被義大利籍主廚叫進廚房幫忙，卻意外發現自己喜歡做菜，跟著主廚學習好一段時間。她和愛吃義大利麵

極味限定

茄汁海鮮燴飯鑲墨魚，感覺起來好像日本的墨魚飯，但調味和做法大不相同。將選用義大利米的奶油海鮮燉飯塞進墨魚裡，烤過後再以蕃茄紅醬稍微匯煮，嚐得到濃郁的海洋風味。

01採用冷漬手法處理的煎烤蜂蜜芥末籽羊肩排02以紅色桌布營造溫暖氛圍03玻璃屋外觀是前咖啡廳打造的04酸甜辣口感的泰式奶油鮮蝦義大利細麵

04

01

03

02

的何先生常一起研究新菜色，一定是兩人都覺得好吃才會放上菜單，大約每隔半年就會更新六成以上的菜色。

雖然玻璃屋的外觀沒變，但內部改以暖色調為主，以紅色桌布和咖啡色皮椅，營造溫暖舒適的氛圍。餐桌大多沿著窗和牆擺放，完全淨空吧台前方，打造寬敞輕鬆的用餐空間。

靠傻勁堅持

畢昂卡7街以「除了餐具和服務生，快意、幸福和餘歡，請隨意打包帶走」為標語，感覺得到他們想要營造的愉悅氛圍，而在服務設計上也有他們的用心之處。

堅持供應套餐，如此顧客至少得跟服務員接觸十一次，才能展現服務的本質。同時，也貼心採用大底盤，讓顧客可以擺放蛤蜊殼、骨頭之類的殘渣，用餐起來比較舒服自在。食材上，除了非進口不可的食材，其他全都使用台灣的物產。餐前麵包也堅持自家手作。

套餐設計也足具貼心之處，除了價格實惠，排餐還特別搭配義大利麵或燉飯為副食，讓總是在排餐和義大利麵之間徘徊的人，可以同時品嚐兩種美味料理。午餐時段，更是推出十二道義大利麵任意點的用餐方式，滿足顧客想要一次品嚐多種口味義大利麵的慾望。

經歷近來的經濟衰退，精誠街上不少店家紛紛因經營不善而倒閉，而畢昂卡7街始終屹立不搖，何先生不諱言經營起來的確很辛苦，就是憑著一股傻勁堅持到現在。＊

畢昂卡7街
add 台中市精誠七街12號
tel 04-2327-5915
time 11:30~22:30，週二休。
web www.wretch.cc/blog/biancha7vie
price 義大利麵套餐280元~380元，排餐590元~690元。

04

01牆上掛的是學長高一民的油畫作品 02二樓的談心角落
03&04獨家創作的茄汁海鮮燴飯鑲墨魚

布列塔尼歐法鄉村雅廚

綠園道中的南法派對

text 洪禎璐　photo 小兆

01

赭紅色的外牆、藍灰色窗櫺、彩色釀嵌玻璃…處處洋溢著南法式的陽光和熱情，這是布列塔尼歐法鄉村雅廚給人的第一印象。

赭紅色外牆、藍灰色窗櫺，搭配上尖拱造型和彩色釀嵌玻璃，為了營造出如此這般的南法風情，布列塔尼歐法鄉村雅廚從裝潢到開幕，就花了兩年的時間。走進室內，在暗橙紅色的鏤空磚牆上，鑲滿了方形彩色裂紋毛玻璃，同時還擺放許多色彩鮮豔、造型多變的蔬果醃漬瓶，以及臉兒圓嘟嘟的陶瓷娃娃，再加上厚實的原木桌椅，從空間就感受得到店主所企圖營造的，到朋友家作客的溫馨感。

與朋友共享的美味

不只空間溫馨，現場烹調、手工現做的餐點亦是如此。不同一般法式料理餐廳的精緻量少，這裡的餐點份量十足，足夠與家人、朋友一起分食。烹調則著重食物原味，像是波爾多爐燒頂級菲力牛排，便選用沒有帶筋的油花肉，簡單用蒜片、紅酒、海鹽、橄欖油調味。

也推薦凡爾賽爐燒野肝醬雞排，選用未完全長大的雞翅膀、雞腿和雞胸，先以綜合香料醃製並油炸過後，再將綠胡椒肝醬抹在表皮上放入烤箱烘烤，能享受到雙重口感。

細膩的甜點饗宴

套餐所附的手工麵包共有三種口味和蘸醬。法國麵包和抹茶麵包可選擇搭配甜味香料奶油和鹹味香料奶油，義式香料麵包則建議搭配橄欖油紅酒醋汁。甜點部份，將西洋梨和紅酒、肉桂、荳蔻一起燉煮的波爾多紅酒西洋梨香草冰淇琳相當道地；很像舒芙蕾的現烤雪莉麵包布丁，也有讓人難忘的綿密口感。

這裡的服務同樣以親切為主打，店長會記住每一位顧客，並在下次光臨時親切問候。她希望在保留專業的服務禮儀的同時，也能讓顧客感到自在，而不會有拘謹、拘束的感覺。＊

布列塔尼歐法鄉村雅廚
add 台中市五權西四街63號
tel 04-2378-0489
time 11:00~15:30（供餐至14:00），17:00~22:20（供餐至21:00）。
price 套餐680元~950元

01屬於歐洲鄉村的用餐空間02凡爾賽爐燒野肝醬雞排03美味的歐式套餐

極味限定

顧客接受度最高的是菲力牛排，只單純用橄欖油和紅酒去爐燒提味，不帶筋、不油膩，再加上海鹽、蒜片作搭配，展現絕佳風味。附帶一提，濃稠的南瓜濃湯有著鮮濃的牛奶香和綿密的南瓜味，將麵包蘸點南瓜湯來吃，豐富的口感層次讓人覺得好幸福。

Lapalete 調色盤法式小館

味蕾的料理調色大師

text IR　**photo** 何忠誠

01

03

02

同場加映
高雄尋味

距離高雄左營高鐵站十分鐘車程的青海路，Lapalete 調色盤法式小館優雅的佇立於此，由曾任職於紐約半島酒店的法籍美裔主廚 Kevin Pinkkerton 主持。從十歲就立志要作廚師，Kevin 以熱情和堅持實現夢想，在這裡，呈現是道地的法式鄉村料理。

熟悉高雄餐飲界的朋友對 Lapalete 調色盤法式小館一定不陌生，原本在高雄文化中心一帶開店的 Kevin 為了陪女兒成長，八年前毅然決然地將餐廳收起來。現在女兒長大了，他又能將熱情和心力投入他最愛的料理，同名餐廳這次在高雄美術館一帶再現。

一切都起因於 Julia Child

說到料理，Kevin 臉上盡是滿足的笑容。他靦腆而開心地回憶到，一九九〇年代居住在美國時，正是 Julia Child 最紅的時候，當時每週的首播時間為禮拜二早上十一點，十歲的他為了不錯過 Julia Child 的秀，每個禮拜二早上都裝病好待在家看電視，當然這年少時期看似完美的計畫在三個禮拜後就被媽媽發現。即便如此，卻也開啟了 Kevin 的廚藝生涯，媽媽和外婆就是他最好的啟蒙恩師，十三歲時，Kevin 已經能獨立將 Julia 最著名的紅酒燉牛肉呈現在家人的餐桌上。

大學主修藝術的 Kevin 除了對顏色有強烈的敏銳度，認為料理和藝

極味限定

電影美味關係中最令人印象深刻的名菜：紅酒燉牛肉，是 Lapalete調色盤法式小館很受歡迎的開胃菜之一，另一道「烤乳鴿、玉米餅佐松露、無花果醬汁」有別於一般冷凍乳鴿口感偏柴、香氣不足，在主廚的功夫下肉質鮮美極富彈性，搭配無花果醬汁將整體味覺的呈現推上高峰，值得一試。

04

01香煎野生鮭魚附葡萄乾及杏仁烤飯佐甜椒醬汁 02香煎鴨胸肉左橙汁醬附季節蔬菜，香嫩美味。03飯後必嚐季節水果搭配法式可麗餅 04距離高鐵車站約十分鐘的路程，調色盤位居鬧中取靜的高雄市鼓山區。

01

02

術一樣，在調色盤上色彩的組成，就像不同食材在餐盤上的搭配、組成。在台灣居住十九年，他對於台灣當地的食材印象深刻，不管是蔬果本身優良品質，或是為了環保減少運輸污染，Kevin 認為大部份的原料都不需要捨近求遠，也期許未來可以在高屏一帶可以有自己的農場，落實真正的從產地到餐桌。

瑪丹娜也曾是座上嘉賓

從法國巴黎、美國紐約，最後來到台灣，熱愛台灣的 Kevin 笑著說如果把巴黎比喻成台北，高雄就像馬賽一樣，有好天氣，且鄰近漁港，因為在美國認識了台籍老婆而來到台灣。

大部份的人可能都不知道，在紐約飯店工作的時候，Kevin 曾經為瑪丹娜做過料理，在法國廚藝學校時也曾經被當年八十一歲的 Julia Child 指導，親眼目睹了兒時的偶像。Kevin 謙虛地說，做料理最重要的就是要讓人開心，只要看到顧客滿足的笑容，再累也值得。

不同於一般拘謹的法式餐廳，Lapalete 調色盤法式小館由 Kevin 親自設計，希望能營造如家一般明亮溫馨、如法式鄉村一般獨特的氛圍。店內提供的是法式傳統家鄉料理，沒有多餘的繁文縟節和華麗擺飾，有的是廚師的堅持和真誠的付出。熱門的餐點「香煎鴨胸肉佐橙汁醬附季節蔬菜」使用來自法國的鴨肉切片，淋上橙汁，佐綠胡椒，香甜的滋味，極富彈性的口感，令無數饕客回味無窮。不能錯過的甜點是正統的法式可麗餅，隨著季節搭配不同的水果，這甜蜜的滋味就像主廚用調色盤調出最美的顏色後，在每個顧客的心上畫上愛心符號，令人感到幸福而開心，而這不正是也是 Kevin 所最希望帶給客人的嗎？

*

04

03

Lapalete調色盤法式小館
add 高雄市鼓山區青海路185號
tel 07-555-5941
time 午餐11:30~14:30，晚餐17:30~21:30，週一休。
price 晚間套餐500元起

01店內氣氛溫馨舒適02饕客必點的烤乳鴿、玉米餅佐松露、無花果醬汁03調色盤主廚Kevin擅長法式家常料理04店內的裝飾和擺設都出自於老闆之手

香月壽司 割烹

掌指間的正統日本味

text IR　photo 何忠誠

01

03

02

吃壽司，品的是漁獲本身的鮮甜美味；坐板前，除了能欣賞到師傅出神入化的手藝之外，也能談料理、話家常。

來自日本福岡的香月高志，用自己的姓氏「香月」為名，在高雄開了壽司店。木製的門阻隔外界的喧囂煩擾，低調、優雅宛若私人招待所的氛圍讓人耳目一新，加上堅持百分之六〇來自日本築地的優良漁獲，香月，用正統的日式日本料理征服台灣人的味蕾。

京都名鮨店十八年的修煉

香月高志曾在京都名店本家重兵衛服務十八年，因為工作關係來到台灣，有感於南台灣較少正統、道地的日本料理店，毅然決然地搬到台灣。靦腆的香月說到：「要讓台灣人享受到在日本吃料理的感覺。」為了堅持這個理念，香月有百分之六〇的漁獲從日本築地空運進口，即便是調味用的醬油、糖和鹽，都要是嚴選的，細節上絕不馬虎，謙虛的態度下充滿了對料理的堅持與熱忱。

相較於日本人吃壽司通常都指定要坐板前，台灣人則通常希望方便交談而選擇座位，但隨著熟客的增加和風氣的改變，香月很開心越來越多的客人會選擇坐在板前，讓他可以更貼近客人，在互動的過程當中了解台灣和日本的飲食差異，也感受到台灣人飲食習慣的改變。

和食享樂的幸福極致

香月建議客人採固定預算、無菜單的方式用餐，師傅會依當季食材，提供最新鮮、最肥美的料理。坐在板前，將自己交給師傅無疑是一種享受！映入眼簾的是師傅熟練、精湛的手藝與認真堅定的迷人眼神，副廚於一旁熱絡的幫忙與客人交流，並替每道料理做出細心的解說。

季節限定的熟食「乾鯛櫻花蒸」，一上桌就是春意盎然，創意高雅的擺盤，清蒸鯛魚搭配春季綠竹筍，一旁灑上粉紅色的櫻花瓣，下方還襯上櫻花葉，是令人難忘的美景，也是好吃極了的美味。從前菜、生魚片、握壽司到熟食，用心安排的背後，是香月的十五年廚藝人生，高、低、輕、重，每道料理宛如鮮美的音符，譜出動聽幸福的歌曲。＊

香月壽司
add 高雄市新興區復興二路300-1號
tel 07-225-5858
time 11:30~14:00，17:30~10:00。
price 午餐380元和680元，晚餐800元~2500元起。

01由香月高志主持的香月壽司希望帶給台灣人正統的日本料理02微炙干貝，吃得到干貝的鮮和甜。03店內60%的漁獲直接從日本進口04香月採固定預算、無菜單方式由主廚依新鮮漁獲搭配。05坐在吧台和師傅互動最能感受美味的呈現

05

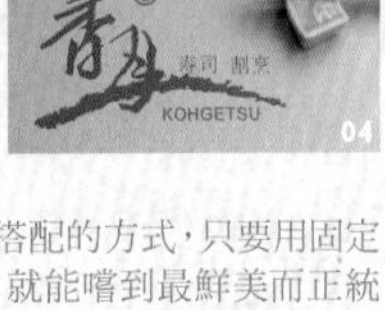

04

極味限定
店內採主廚隨季節食材搭配的方式，只要用固定預算，相信師傅的搭配，就能嚐到最鮮美而正統的日本料理。除樓下板前座位之外，樓上同時有日式包廂，兩種型態滿足客人需求。

安多尼歐水岸歐式美食藝術

水岸空間的愛戀絮語

text 洪禎璐 **photo** 小兆

01

02

坐落於愛河畔，安多尼歐的美食永遠有水岸美景佐餐，有情人最愛在這互許終身，甜言蜜語總在粼粼波光中蕩漾。

安多尼歐的源起，與素有「美國威尼斯」之稱的 San Antonio 有關。林老闆曾在美國為IBM工作多年，假日很喜歡往 San Antonio 跑，對該處的水岸餐廳流連不已。回台後，看到愛河已變身為美麗水岸，再加上面臨三十五歲的關卡，想要有不同的作為，便和高中同學及廚藝高超的周主廚一起經營這家走高級格調的餐廳。堅持「獨一無二、超值美味」，讓安多尼歐很快就成為高雄地區的西餐名店。

使用天然食材的經典美饌

安多尼歐講求真材實料，使用天然原始食材和有機蔬菜。所有醬汁至少花一個星期的時間製作熬煮，以濃縮出美味精華；濃湯絕不摻加麵粉，而是將馬鈴薯與其他天然食材打汁熬煮而成，口感十分濃郁。

店內提供的餐點融合法式和義式料理，以正統作法佐以主廚的創作，約半年會換一次菜單，值得三不五時來光顧。此外，只要點套餐，就會提供無限量供應的自然發酵法式麵包，趁熱時塗上奶油享用，是最美味的吃法。其他受歡迎的主餐有迷迭香松子雞肉捲佐柳橙油醋醬，將雞肉打成慕斯，捲入海苔和松子，口感綿密中帶有一點酥脆，再搭配清爽的柳橙油醋醬，風味更佳。吃一口清脆的生菜，讓口感更富變化；蕃茄海鮮義大利麵，堅持採用新鮮活蝦、蛤蜊、蟹腳、花枝等海鮮為配料，讓這道常見的蕃茄海鮮義大利麵，有著與眾不同的Q彈口感。

浪漫的求婚地

一開始，店內裝潢原本是走冷調極簡風，後來慢慢調整為歐式浪漫風情。

一樓的入口處，以一整面牆的酒窖營造歐洲風情，大紅色高背沙發椅不只感覺高貴，坐起來也很舒適。二樓則以紫色桌布搭配粉橘色布質布椅，營造暖色調的浪漫。這樣的環境，讓不少顧客都選擇在此向愛人求婚呢。＊

安多尼歐水岸歐式美食藝術
add 高雄市鹽埕區河西路7-1號
tel 07-533-5330
time 11:45開始營業，平日最晚點餐時間21:00，假日最晚點餐時間21:30。
web www.san-antonio.com.tw
price 套餐490元起

01迷迭香松子雞肉捲佐柳橙油醋醬**02**坐落愛河畔的用餐空間**03**海陸雙拼

03

極味限定
最受歡迎的海陸雙拼：肯瓊香料小捲和爐烤雪花牛排，集結美國紐奧良香料大成肯瓊香料，香氣濃郁、口味辛辣，十分契合小捲本身的海味。雪花牛排採用牛肩胛肉，搭配熬煮多日的牛骨醬汁，是讓人難忘的濃郁風味。

Party Time
餐桌上的派對

與三五好友相聚，
隨意、舒活的空間打開了彼此的話匣子…

金色三麥 誠品酒窖

暢飲鮮釀啤酒Bravo！

text 李芷姍　photo 石宗仁

01

03

02

厚重玻璃杯中綿密氣泡覆蓋著金黃色的啤酒液，當眾人共同舉杯的剎那，象徵歡樂 Party 正式拉開序幕！現釀啤酒餐廳金色三麥，有別地方喝不到的自釀啤酒和跨國界豐盛佳餚。

入口處放著三個比人還高的巨大啤酒發酵罐，金色三麥誠品酒窖要顧客一進門就做好準備，今天一定要暢飲啤酒喝個痛快。

金色三麥為台灣最大規模的自釀啤酒餐廳，三種麥類——小麥、大麥以及黑麥釀成的純麥啤酒，每天從工廠鮮釀直送。

鮮釀啤酒的特色在於釀造過程中未經過啤酒酵母精過濾及殺菌處理，因此麥香濃郁入口回甘，泡沫特別細緻順滑。

鮮釀啤酒金享受

三種招牌啤酒中，小麥啤酒帶著青草氣息與果香最為清爽，微酸滋味適合在餐前當開胃酒飲用。大麥啤酒味道較接近我們平常所喝的罐裝啤酒，但是口味更甘甜、順口，進口捷克啤酒花的清新苦味，遇上麥芽引出的甘味，使得味覺層次更加立體。黑麥啤酒融和黑麥芽、焦香麥芽與大麥芽，光是香氣就相當誘人，入口以後醇厚的焦糖風味，與餐後甜點最為合搭。

誠品店走的是歐風酒窖風格，內部以紅磚砌牆，德國民謠在耳畔流轉，就連服務生也頭戴翎毛寬帽，一身巴伐利亞民族風，讓顧客彷彿來到啤酒之都德國慕尼黑。店裡所有啤酒都是當天從工廠冷藏運送而來，三種招牌口味加上季節限定酒一天賣個三百公升不是問題。

啤酒派對High在一起

好酒自然少不了美食，金色三麥的餐點相當跨國界，可以找到日式的明太子烏龍麵、鮪魚沙拉，也有義大利麵、德國豬腳，以及自創的啤酒海鮮鍋。

如果人數比較多，鋪滿蝦子、海鮮的西班牙海鮮燉飯是分享的好選擇。白燒啤酒蝦也是店裡的獨門料裡，炸得全身酥脆的鮮蝦嗆入大麥啤酒乾燒，越吃越是來勁。

啤酒帶來的歡樂氣息讓金色三麥特別適合團體聚餐，走進店裡的顧客往往一團就是七、八人，只見大家左手拿酒杯右手捧餐盤，大口吃吃喝喝，好不痛快，店員們還會幫忙炒熱氣氛，唱唱跳跳和顧客 High 在一起，讓人沉醉在這痛快的啤酒之夜。*

金色三麥 誠品酒窖
add 台北市信義區松高路11號 誠品信義店B1
tel 02-8789-5911
time 週日~四11:00~24:00，週五、六至凌晨1:00。
web www.lebledor.com.tw
price 啤酒120元起

派對限定

遇上特別節慶如萬聖節和跨年，店家會舉辦熱鬧的啤酒Party。這裡還有一個特別的私房景點，那就是通過後門步上階梯，馬上就能看到完整、無遮蔽的101大樓。新年夜在店內喝酒玩趴，等倒數時再走捷徑衝到外頭看跨年煙火，吃喝玩樂一網打盡。

01西班牙海鮮燉飯和啤酒堪稱絕配**02**鮮釀啤酒喝得到金黃麥香的新鮮風味**03**以紅磚牆、胡桃柑人偶和德國民謠重現巴伐利亞風情，彷彿來到德國慕尼黑。

SIRIS Cuisine & Lounge

啤酒遇上義法料理的意外美味

text 洪禎璐 **photo** Alan Lin

01

04

03

02

06

05

沒有一般啤酒屋的喧鬧，SIRIS為各國啤國配搭精緻義法料理，給人意想不到的美味感受。不妨與情人一同來享用麥香飄溢的浪漫晚餐，留下與眾不同的甜蜜回憶吧。

SIRIS的吧台區以土紅色和黑色為基調，採用一般座椅高度，坐來十分舒適。吧台區後方和地下一樓的用餐區則延續紅黑色調，交錯擺放沙發和絨布座椅，並運用黑色流蘇隔開餐桌，輕鬆、簡約的慵懶氛圍，再加上適度留空的寬敞用餐空間，讓人感覺舒服、無壓力。

啤酒也能高雅配菜

七年級生Rex和Edward原是電子公司的同事，當懷有餐飲夢的Rex打算趁年輕一闖天下時，Edward也立刻情義相挺，於是兩人以匯集各國啤酒的啤酒吧為概念發想企畫。

經過深入研究，Edward認為啤酒跟葡萄酒一樣有著深厚、複雜的釀造文化，在豪邁暢飲之外，應該也能與義法料理相佐搭配，因此，餐廳以古代釀酒女神SIRIS為名，並將輕食啤酒吧調整為啤酒吧餐廳，除了強調各國啤酒的多樣性及口感完整性，也推出「酒配菜」的觀念，邀請擁有二十多年西餐資歷的陳師傅為餐廳料理掌舵。

對料理十分講究的陳師傅，堅持採用原始天然食材來製作所有料理，就連醬汁和甜點也是由餐廳廚房自製而成。精緻、美味又平價的星級料理，深受顧客喜愛。

新奇有趣的味覺饗宴

SIRIS的酒單將啤酒分為ALE、WHEAT、Mixed、STOUT、LAGER等五類，並加註口感說明，如ALE麥香濃重、口感多層次，LAGER清爽順口、酒精濃度低等等。菜單裡，還為每一道料理註明適合搭配的啤酒類別，突破一般義法料理只能搭配紅、白葡萄酒的框架，品嚐起來滋味格外不同。

「培根起士雞肉捲」是以香料和調味料醃製過的雞肉包裹住起士，外層再以培根捲起，最後放入烤箱烘烤，佐義大利紅醬食用，適合搭配放入柑橘皮一起釀造而成的比利時小麥白啤酒。採用高級圓鱈的「香煎圓鱈佐黑松露醬汁」，嚼勁與彈性恰到好處，口感實在卻柔軟、細緻，可搭配添加蜂蜜的BARBAR。BARBAR雖然屬於麥香濃重的ALE類，但蜂蜜的香甜讓女性也很能接受它。＊

派對限定

打上藍光的啤酒櫃做為玄關屏障，不僅成為SIRIS的代表意象，也巧妙隔開後方的吧台區，讓在此飲酒作樂的人們，絲毫不受門外來往行人的視線影響，相當適合聚餐、包場，場地隱密不受鄰客干擾。

SIRIS Cuisine & Lounge
add 台北市安和路二段157號
tel 02-2733-6215
time 11:30~14:00、18:00~凌晨2:00。
web www.siris.tw
price 假日低消500元

01吧台區採用一般座椅高度，坐起來十分舒適。**02**美味的義式料理有相應的啤酒佐餐**03**香煎圓鱈佐黑松露醬汁**04**打上藍光的啤酒櫃**05**培根起士雞肉捲**06**特製德國豬腳

Barcode Taipei
台北曼哈頓時尚夜生活

text 洪禎璐　photo Alan Lin

01

03

身處信義區夜景的懷抱中，坐在2009年由甘泰來、陳岳夫重新打造的時尚空間裡，光這番景致就讓人三分醉，再佐以新鮮水果入味的雞尾酒，更讓人意亂情迷。

02

搭乘 neo19 右側透明電梯直上五樓，神秘奢華的黑色調梯廳在此迎接來客，一眼就讓人直接感受到 Barcode Taipei 的整體設計風格。穿過黑色甬道，首先映入眼簾的是右側的 sky garden plaza，以台灣和平白大理石打造的地板，和以伸展台為概念的黑色鏡面天花板，營造出既衝突又相互呼應的氛圍。猶如開放廣場的空間裡，擺放兩座紅色英式撞球桌、樹梢直抵天花板的大型盆栽、立體黑色大腳雕塑、白色沙發、黑色高腳桌等，巧妙結合其所連接的吧檯區、戶外區與 the den 的設計意念，並呈現截然不同的明亮空間氛圍。

玩心無限的時尚奢華空間

甬道左側是色調昏暗的長吧台和開放式包廂，以「翻動的條碼」為概念所打造的不規則立體波浪天花板是開店至今唯一不變的主元素，周圍設計元素則每年求新求變。每年都會變化的織品風格，今年換上紫色絲絨新裝，長吧檯區搭配金色華麗的 Kartell Bourgie Chrome 吊燈，感覺更為成熟奢華；而沿窗邊

派對限定

每逢重要國際體育賽事，這裡就會化身為熱鬧的運動吧，全程Live轉播球賽，跟著眾人一起狂歡，感受熱血氣氛。也會推出球賽特製料理和獨家特調酒，讓愛湊熱鬧的你，永遠趕得上流行。

05

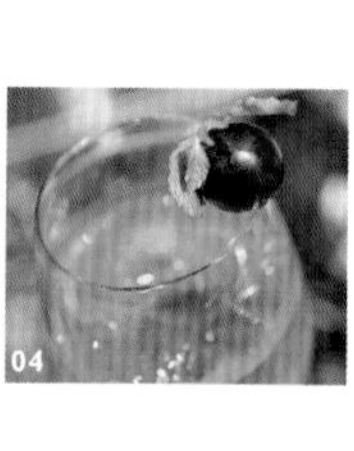
04

01在這裡一邊飲酒，一邊俯瞰台北夜生活。02長吧台區搭配金色華麗的吊燈，感覺更為成熟奢華。03立體波浪的天花板04色澤夢幻的調酒05蘇格蘭高地單一純麥威士忌

設置的開放式包廂，則能透過黑色線簾隱約瞧見窗外的信義區夜景，有種超現實的迷幻感。

若直接穿過 sky garden plaza，便是最受歡迎的戶外區和入口隱密的 the den。原本採峇里島露天開放風格的戶外區，重新改裝為極具玩心的混搭風空間。在原木棧道地板上，擺放螢光橘與亮藍色沙發、Kartell 設計師單椅和原木樹幹矮椅，並以大三角形拼貼成天花板，

01戶外區大面玻璃窗引入台北夜景**02&03** Bartender歡迎顧客自選基酒與風格，再為顧客調出專屬調酒。**04**沿窗邊設置的開放式包廂，能透過黑色線簾隱約瞧見窗外的信義區夜景。**05**處處瀰漫著成熟奢華的氛圍

04

再加上大面玻璃窗引入的台北夜景，散發樂趣無限的時尚氛圍。

強調口感的英式調酒傳統

Barcode Taipei 不走花俏的美式調酒風格，而是追隨強調口感的英式調酒傳統，並融入日式調酒的創意。他們特別邀請英國調酒比賽冠軍 Peter Kendall 來此指導，如何將新鮮水果等食材調入雞尾酒中，Barcode originals 系列調酒便是其成果展現。同時，也不定時前往日本拜訪知名夜店，學習運用香草、抹茶等食材入酒的技巧，讓店內提供的雞尾酒口感風格更豐富。除此之外，他們更歡迎顧客自選基酒與風格，Bartender 很樂意運用專業知識及創意，為顧客調出專屬調酒。

以新鮮草莓、芒果，加上琴酒、野莓甜酒、蘋果汁的 Healthy and Sexy，酸甜滋味就像在談戀愛，很適合情人一起飲用。

特地引進台灣的 Aberfeldy（蘇格蘭高地單一純麥威士忌），使用當地大麥和清澈純淨的皮提里河為水源，有著濃郁的花果香，口感十分溫和滑順。＊

Barcode Taipei
add 台北市松壽路22號5樓
tel 0920-168-269
time 週日~四21:00~2:30，週五、六21:00~凌晨3:00。
price 10人座低消5000元

未成年請勿飲酒

05

花園日本料理

和風庭園裡的戀人絮語

text 李芷姍　photo 王銘偉

01

03

乘著洋溢時尚感的創作料理風潮，花園日本料理呈現的，是賞心悅目的山珍海味以及全新味覺體驗。豪華內斂的裝潢擺設與新派日式珍饈相得益彰，還有點心主廚特製的手工甜點盤，彷彿置身多元變化的東京街頭。

02

三米六的挑高空間中，迎入眼簾的，是鋪天蓋地的時尚酷黑，很難想像眼前竟是一間不折不扣的日式餐廳。位於西區飯店重鎮——花園大酒店的花園日本料理，拋下傳統日式的沉重包袱，以最具流行感的「黑」作為設計主軸。黑晶石、印度黑石以及深金峰石等不同色澤的進口石材堆疊出層次與質感，營造前衛、禪意的視覺效果，晶亮的黑地磚貫穿狹長餐廳，讓女性好像走在時尚伸展台般魅力四射。而在黑色系的硬體陳設之外，金色與深紫色綢緞鋪陳桌面，還有繽紛多呈的豪華餐點，讓餐桌頓時亮了起來，成為全場最令人垂涎的視覺焦點。

餐盤上的蝦蟹之戀

陳主廚設計的料理和餐廳當代高雅的裝潢一樣，走的是新派創作和風。融合淵遠流長的日本料理技法，再考量當今飲食潮流、台灣人喜愛的胃口加以改良。主廚的料理絕對不小家子氣，一口咬不下的肥厚干貝、蒜蒸鮑魚、明蝦等豪華食材都是整隻上桌，多數食材可是飄洋過海，從日本嚴選空運來台，宮

派對限定

餐廳的座位不多，加上吧台區以及包廂坐不到五十人，餐廳小的好處，在於所有顧客都能得到VIP級的待遇。吧檯前主廚率領廚師群，現場製作精美料理端到顧客桌前，外場還有專業服務人員隨侍在側，確實有備受尊寵的貼心感。

04

01南非小鮑魚蒜蒸**02**生魚片組合，種類相當豐富。**03**北海道干貝和風沙拉**04**主廚現場製作精美料理

01

城縣鮮生蠔、北海道極品干貝、鱈場蟹、星鰻等，鮮甜甘美的程度非一般市場上的魚蝦可比擬。也因為如此大手筆，讓店裡的食材成本也破天荒地飆到百分之五〇。

用料講究之外，師傅在料理手法上也充分發揮創意。肥美的日本生蠔不用檸檬或醬油搭配，而是佐以特製山藥泥醋汁，紮實的生蠔鮮美中混著清涼軟滑的山藥泥，滑溜口感讓嗜食生蠔的饕客難以自拔。光名稱就很有日本過年喜氣的「松阪豚紅白鍋」，湯底在昆布柴魚湯頭之外加入紅白雙色的蘿蔔泥，淡粉色澤不但賞心悅目，還能涮去豬肉厚重的油脂味，讓風味更加爽口。值得一提的是不僅豬肉清甜，滿滿一盤的配菜給得大方，讓女性覺得過癮極了。

日系微醺饗宴

花園日本料理在沙瓦調酒上別有用心，調酒有五款，使用福島縣產，風格淡雅清甜的安達太良吟釀酒，分別與葡萄柚、蔓越莓、百香果等鮮果汁調和，還加入了滿滿的冰沙與新鮮果粒。酸酸甜甜的新鮮滋味搭配冰鑽口感，入喉之後還有淡雅清酒香，是許多女性顧客的最愛呢。

在花園日本料理，不用擔心日式餐點缺乏情趣，因為店裡充分運用星級飯店的優勢，餐後點心由點心房主廚擔綱，帶來甜蜜得化不開的精美法式糕點。主廚每日限量製作歐培拉、草莓塔、馬卡龍等各種鮮豔欲滴的法式甜點，作為套餐的壓軸，外型像藝術品的糕點還會以糖花、金箔做裝飾，還有什麼比這更美妙的收尾呢。＊

花園日本料理
add 台北市中正區中華路二段1號 台北花園大酒店一樓
tel 02-2314-6611
time 11:30~14:30，18:00~22:00。
web taipeigarden.hotel.com.tw
price 套餐1380元起

01以法式甜點作為套餐壓軸**02**品嚐和風海鮮套餐**03**現調百香果沙瓦，還有新鮮的百香果料。**04**鱈場蟹海膽燒**05**時尚前衛的餐廳設計風格

The SOHO dining space & URBAN 9 BAR
星空下的露天派對

text 李芷姍　photo 石宗仁

01

04

03

02

06

05

Soho給人的感覺，就像是一個變化多端的百寶箱。兩個女生老闆發揮玩心，用豐富的想像力妝點樓層。讓總共六層樓的空間彷彿抽屜一般，拉開都是不同的驚喜。

一切都始於兩個女生的夢想。老是吃在一起玩在一塊的Cynthia與Jennifer逛夠了台北與世界的餐廳夜店，決定為自己和朋友們創造彼此相聚、放鬆的「第二個窩」，總共五層樓的餐廳兼酒吧，有餐廳、有小酌聚會的空間，更有傲視台北東區精華地段、獨一無二的星空派對房。

多元混搭蘇活風

從放滿書籍與厚重書櫃的一樓咖啡兼用餐區進入，隨著電梯升降，出現眼前的可能是帶有殖民風情的典雅餐廳，掛滿大小畫框的時尚吧台區，或者是充分浸透天光夜色、猶如都會溫室的roof區。由於每層樓都太特別、太有吸引力了，初訪的顧客難免要上下好幾次，才能決定要坐的位置。

喜歡紐約蘇活區的自在與融合，Cynthia與Jennifer企圖將那種無拘無束的悠閒感帶入店裡。舒適的座椅、用畫框與書籍打造出來的人文風格、輕鬆流暢的音樂、還有不可或缺的各種酒類與大盤美食，成功在東區街頭重現soho精神。來這裡切莫正襟危座、精神緊繃，大可窩在角落看書、聊天，或是上網種菜、閒逛也可，反正放鬆心情做自己就對了。

好友歡聚星光派對

頂層roof區以大片玻璃帷幕取代厚重的水泥牆與天井，尖斜屋頂創造挑高感，而向外延伸的陽台區則帶給顧客更多喘息空間。白天，陽光毫無保留地灑入屋內，空中溫室吸引著所有想要逃離煩囂的都會人。而夜晚，頭頂有星空覆蓋，腳下簇擁著台北東區的閃爍燈火，浪漫指數更加倍。

正因為是獨立空間，因此無論是雅致的社交派對，或是喧鬧的生日趴都很合適，店家還提供色彩鮮豔的調酒為派對增色，不知是否因為由兩位美女經營的關係，soho的調酒顏色特別艷麗、搶眼，讓人忍不住想一親芳澤。此外，美式風格的餐點也是派對良伴，鮮炸台灣香蕉再佐以巧克力醬或冰淇淋的科尼島炸香蕉，直火炭烤的綜合碳烤盤都是深受賓客歡迎的人氣菜單。＊

派對限定

頂層roof區有8人座與12人座，平常是星空圍繞的Lounge Bar，只要預訂包場，即可依顧客的創意發想，成為歡樂的派對房、頂級VIP室、甚至是走秀與發表會的舞台。

The SOHO dining space & URBAN 9 BAR

add 台北市敦化南路一段149號1~5F
tel 02-2751-1338
time 12:00~凌晨2:00
web www.thesoho.com.tw
price 週五、六12人座低消6000元，8人座低消4500元。

01五樓的Urban 9 Bar是摩登酒吧**02**歡聚在頂樓露天座位區**03**下酒小點心**04**綜合碳烤盤**05**色澤柔美的調酒**06**火焰與酒精永遠是派對最佳催化劑

The villa-herbs
祕密花園私人Party

text 李芷姍　photo 石宗仁

01

是都會中的香草花園餐廳，也是慵懶開放的 villa 風酒吧，被流水與綠意圍繞的 The villa-herbs，以落地拉門歡迎枝椏與水影，半露天沙發躺椅帶來南洋 villa 風情。

涓涓流水分隔兩座孿生的餐廳和酒吧，而圍繞在外的，是濃密綠蔭和陣陣香草氣息。既顯眼又私密的外觀，使得路過 The villaherbs 的行人忍不住頻頻探頭，想要越過枝葉一探究竟。

花園裡的雙子星

以 Villa 為創意發想，室內與戶外空間被刻意模糊，更有寬敞舒適的沙發讓人徹底卸下武裝。這裡是城市人的祕密花園，從白天到夜晚，迎接所有想要放鬆心情、充分享受美食與美酒的城市遊俠。

老闆張瑋忠本身為室內設計師，而 The villa-herbs 很自然地成為他揮灑創意的遊樂場。

他巧妙地將兩棟建築發揮不同個性，一邊用木質家具桌椅、壁畫以及大片手寫黑板打造成典雅、舒適的餐廳，另一邊則是以白色大理石吧台搭配古董櫃，復古電扇配合摩登水晶燈的混搭風格，營造出時尚私密的 Lounge Bar。

白晝對黑夜，典雅遇上慵懶的對稱風格，The villa-herbs 滿足了顧客不同的需求和個性。

百變空間創意趴

老闆對於酒精飲料及料理的講究，為派對不可或缺的餐飲大大加分。琳瑯滿目的酒單上不但葡萄酒種類相當齊全，更有炒熱氣氛不可或缺的巨無霸雞尾酒，以及調酒師特製的火焰 shut，造型賞心悅目不用說，滋味則是原汁現榨的水果口味，清爽、酸甜、好入喉。

餐點部份以庭院種植的新鮮香草入菜，是正式餐廳才有的精緻美味。以特製辣味蕃茄蘿勒醬佐鮮炸海鮮蟹鉗肉，構成帶著刺激感的海鮮風味。

另外推薦派對的最優選擇——精選拼盤，將巴伐利亞肉腸、松子鯷魚小捲、燒烤牛肉塊、手工香草麵包等八種風格的精選開味小菜齊聚一堂，不同的排列組合，為味蕾帶來無限驚奇。*

The villa-herbs
add 台北市樂利路11巷30號~32號
tel 02-2732-3255
time 11:30~凌晨2:00，週五~六11:00~凌晨3:00。
web www.thevilla-herbs.com
price 低消300元

派對限定

The villa-herbs的酒吧區向來深受派對客喜愛，二樓還有三間不同風格的包廂讓顧客不被打擾，充分享受歡樂時光。有些人會選擇包下吧台區，還有些人會連餐廳二樓也一起包下來。充滿創意的空間讓使用者也激發出精彩創意。

01大啖主廚特製料理02半開放式的用餐空間，氣氛典雅。03夜晚，庭院在燈光照映下顯得浪漫迷人，開放式的用餐環境還有綠意相伴。

未成年請勿飲酒

Hampton Court & Garden
英倫貴族的浪漫情懷

text 李芷姍　**photo** Alan Lin

01

04

03

02

相約在透著寒意的寂靜冬夜，來到媲美英國皇家貴賓室的典雅酒吧，在這裡找到了亟需的隱密空間，低垂夜幕彷彿巨大黑色絨毯，輕巧裹覆綿綿私語的戀人們，戶外景觀池還帶來搖曳的水影光波，浪漫纏綿盡在不言中。

彷彿來到了名媛仕紳雲集的私人俱樂部，位在六福皇宮一樓大廳旁，Hampton Court & Garden 漢普頓茶坊以品味獨具的典雅陳設，專屬英式花園和景觀池，打造出別有洞天的靜謐氣氛。

從英國皇室御用的貴賓室為發想，Hampton Court 首先在陳設下功夫，厚重的天鵝絨沙發傳達優雅仕紳風範，掛畫與小擺飾高雅俐落，並用原木色澤營造老式英國沙龍的氛圍。以玻璃帷幕相隔，外頭就是綠影扶疏的漢普頓花園，花草繽紛的英式庭園裡，還有一方鋪滿白色鵝卵石的淺水池蕩漾陣陣漣漪，優美的景色讓人忍不住想推開大門吹吹風，輕鬆恣意地享受午茶閒情。

池畔的星空約會

白天的 Hampton Court 深受陽光眷顧，綠意花影透過日射顯得朝氣蓬勃、搖曳生姿，與美景相輔相成的，是茶坊嚴選進口英式純品茶，數十種中、日、西式獨家調配茶，以及豪華的三層英式午茶點心塔，

01原木色調的擺設散發仕紳風範**02**夜晚的庭院最浪漫**03**白天是優雅茶坊，夜晚則搖身變成典雅酒吧。**04**吧台區是許多外國旅客的最愛

派對限定

打開足以媲美皇室貴賓室的Hampton Court旁的玻璃門，來到Hampton Garden，身處城市中心，卻能享受一方幽靜。最適合與三五好友聚在這裡享用英式下午茶，彷彿化身為歐洲貴族，展開一段高雅的沙龍交際。

01

03

02

讓這裡成為貴婦們偷閒聚會的固定據點。

和煦優雅的午茶坊隨著夕陽西沉，景觀燈逐漸亮起，旋即變身為浪漫夜吧。刻意壓低的照明讓人卸下矜持與偽裝，水波、光影與樹影交織蕩漾，勾勒出如夢似幻的動人景致。夜晚的 Hampton Court 適合情侶舉杯對飲，種類豐富的酒單當中，有各種深受歡迎的招牌雞尾酒、調酒冰沙等。

想為特別的日子增添奢華感，不妨點杯特調香檳調酒，mimosa 含羞草以柳橙汁和酩悅香檳結合，酸甜橙汁清爽好入喉，與葡萄酒香構成絕妙搭配。Kir Royal 皇家基爾則是法國黑醋栗香甜酒 Crème de classis 與香檳的結合，蘊含莓果精華的香檳調酒幾乎沒有女生不會喜愛，隨氣泡往上浮現的清新莓香，讓香檳變得更有女人味了。

濃情花園酒宴

與香甜美酒搭配，最濃情密意的組合莫過於手工甜點了。六福皇宮的甜點馳名遠近，因此 Hampton Court 的菜單也相當特別地推出一系列光看名稱就叫人口水直流的精美點心。

其中最具有挑情效果的，當屬溫熱巧克力佐香草冰淇淋。切開精巧紮實的巧克力蛋糕，裡面汩汩流出還在冒著熱氣的香濃巧克力，和冰淇淋一同送入口中，冷熱交織的刺激感和迸發而出的巧克力濃香，為味覺神經帶來最高的滿足。

除了精緻糕點，這裡的餐點也相當值得推薦。專屬廚房烹調出多國風的餐點，從必備的三明治小點、比薩薄餅到印尼炒飯甚至台灣牛肉麵，種類五花八門。＊

04

Hampton Court & Garden
add 台北市南京東路三段133號 六福皇宮1F
tel 02-8770-6565
time 8:00~23:00
web www.westin.com.tw
price 飲品200元起

01由義大利餐廳主廚設計的套餐**02**戶外座席有浪漫的搖椅座位**03**甜點主廚特製的溫熱巧克力佐香草冰淇淋**04**香煎肋眼牛排佐綠胡椒醬汁

The Éclat Lounge／George Bar
兩種風情，一樣經典

text 李芷姍　photo 李美玲

01

04

03

02

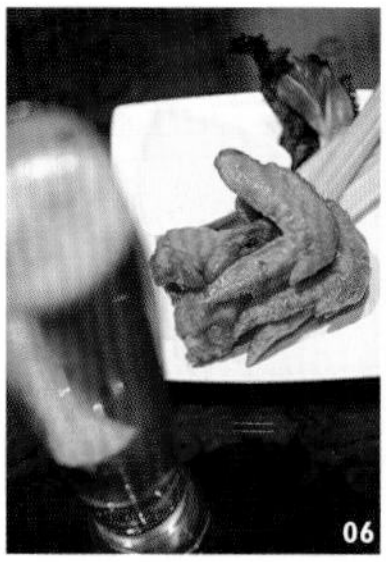
06

05

走進怡亨酒店，彷彿經歷了一場奢華的視覺饗宴。在酒店最耀眼的 The Éclat Lounge 以及最私密的 The bar，品味芳醇美酒與精緻小食，人生至高享樂，不過如此。

怡亨酒店在敦化南路的精華路段重裝登場，由香港富豪黃建華耗資十五億打造，提供高階商務旅客最頂級的住宿享受。身為SLH（Small Luxury Hotels of The World）的一員，館內所有家具以及裝潢皆不惜血本，風格時尚的雅致客房與大廳內，真跡藝術品隨意擺設，更為豪奢氣息添加典雅內斂的風範。

貴賓室級專屬奢華

在盈盈搖曳的紫色水晶玻璃燈下，The Éclat Lounge 以當代藝文風，成為大廳中令人驚豔的注目焦點。大廳酒廊紫灰色絨布沙發椅呼應頭頂璨然生輝的主燈，兩座金碧輝煌的達利雕像昂然矗立，而來自中國與歐美當代藝術家的精品，為氣派陳設帶來優雅餘韻。

藏身在二樓的一隅，英式酒吧 George Bar 則是以隱密典雅的空間營造，給予高階精英們一個放鬆小酌的空間。採用皮革沙發以及深褐色的原木酒桌，George bar 以成熟典雅的風範，烘托出顧客的氣宇不凡。酒吧設置的原意，是要讓房客有一個隱私又放鬆的專屬空間，因此將之規劃到二樓客房區，並只在小巧空間內擺設數張桌椅。比起喧譁熱鬧的餐飲空間，這裡更像是只有熟人才知道的，富豪的專屬貴賓室。

美式輕食縱情快意時光

無論 The Éclat Lounge 或 George bar，酒店內都提供種類豐富的酒精與無酒精飲料。可在隱密的酒吧內，品嚐珍藏多款的 Single Malt Whisky，有 Macallan 一八年、Johnnie Walker 藍牌、CHIVAS，以及一杯要價一八〇〇元、有四十年的 Blackadder。George Bar 適合三五知己把酒暢談，喜歡單一麥芽威士忌的人，更不能錯過 George Bar 的珍藏。此外，雞尾酒雖然沒有出現在菜單上，只要向吧台點單，一樣可以為顧客製作。

酒吧提供的輕食以美式為主，出身夏威夷的主廚為酒客帶來最地道夠味的美式下酒菜。爐烤豬肋排經過醃、蒸、烤三道手工，果香豐富的沾醬包裹下，外層焦香夠味，內部鮮嫩多汁，讓人吮指回味。搭配飯店特調酒綠色蚱蜢以及大都會，美酒佳餚豐富了美好的夜晚。*

怡亨酒店 The Éclat Lounge／George Bar
add 台北市大安區敦化南路一段370號
tel 02-2784-8888
time The Éclat Lounge 6:30~23:00，The bar 17:00~凌晨1:00。
web www.eclathotels.com/taipei
price 低消350元起

派對限定

George Bar於每日下午五點半至晚間八點，精心設計「Happy Hour」，備有新鮮果汁、沁涼啤酒、高級紅酒及，入住賓客可依不同入住卡免費或半價享用不同種類的酒品，更有主廚準備的精緻冷、熱開胃菜三種，是最棒的佐酒小菜。

01大廳酒廊有無數真跡藝品圍繞**02**色澤豔麗的調酒**03**酥炸脆蝦**04**怡亨酒店無論服務或裝潢都是世界級**05&06**道地、夠味的美式下酒菜。

Spark
笑傲101超炫夜店

text 李芷姍　photo 石宗仁

01

03

02

Led燈幕閃爍著炫目色彩，七彩迷幻的燈光蔓延整座舞池，強烈的節奏鼓動心跳與地表，讓人不由自主地隨著音樂擺動。最有臨場感的璀璨煙火，讓Spark的跨年派對成為絕無僅有的酷炫體驗。

以閃耀的火花為名，由人氣夜店Mint重新改裝的Spark，就像是炫目奪人的超新星一般，甫登場就成為注目焦點。前所未見的前衛酷炫裝潢，超奢華的設備與服務，讓這間台北一〇一大樓內唯一夜店成為全球新指標。

千萬裝潢閃耀登場

教父級夜店天王Deejay Junior是催生Spark的靈魂人物，他跑遍世界大城汲取夜店的最新潮流，並請來知名設計師廖子豪傾心設計，兩人一起碰撞出的創意火花，展現在鋪天蓋地的前衛Led燈幕上，也出現在Spark每一個令人激賞的細節設計中。

環繞天壁與舞池的大型Led燈幕，首先帶來前所未有的視覺震撼。Deejay Junior不惜投下百萬重金，從歐洲引進這項尖端技術。

藍、橙橘、螢粉、亮黃…各種色彩的光影會隨著音樂節奏不斷變換花樣，迷幻眩目的影像與音樂像在互相角逐競技，又像是彼此迎合，讓所有人彷彿身處變化萬千的萬花筒之中。

火花最震撼跨年派對

週末時瘋狂歡樂的Spark，在平日則會變身為時尚Lounge Bar，沉浸在音樂與空間中，啜飲手中的Spark特調，成為另一種享受。這裡的調酒和場地一樣色彩特別繽紛多元，「Ultimate Mojito」運用黑蘭姆與白蘭姆酒，創造出黑白對比的效果，「Purple Sparkle」結合紅酒、葡萄、檸檬與白vodka，紅綠白三色層次分明，還會隨著時間經過呈現不同的混合變化。至於最受女生喜愛的「Kapuluchica」，投入大量的當季鮮果碎粒與vodka混合，酒精中載浮載沉的水果，令人忍不住要一親芳澤。

Spark還有個特色，那就是店裡服務生全部經過挑選，就連身高、髮型都有特別要求，清一色的炫男辣妹加重視覺享受。

為了讓服務達到世界級水準，服務生的數量特別多，平均一個人只要專心照顧一至兩桌，更能迅速滿足顧客需求。＊

派對限定

身處台北101大樓之中，跨年夜是Spark最不可錯過的重頭戲。跨年派對請來知名DJ整場播放最熱門的音樂，讓大家先玩個過癮。隨著午夜逼近，倒數計時的興奮感讓場內熱度逐漸上升，在跨年的剎那和所有人一同衝出大門，欣賞最有臨場感的璀璨101煙火。

Spark
add 台北市市府路45號 台北101 B1
tel 02-8101-8662
time 週日~週二、四21:00~凌晨3:00，週三至凌晨4:00週五、週六至凌晨4:30。
web www.spark101.com.tw
price 週一、二、四、日每人包廂低消500元

01「Purple Sparkle」結合紅酒、葡萄、檸檬與vodka，呈現不同的混合變化。**02**包廂為環型座椅，可容納多人數。**03**踩著炫影舞池盡情跳舞

Rico Padre
沉浸在香檳的幸福泡泡裡

text 洪禎璐　**photo** 黃裕順

01

獨樹一格的三角形建築緊畔戶外泳池，坐落在台中最精華的七期重劃區裡，香檳和紅酒引人微醺，連醉酒姿態都充滿貴婦的高雅。

Ri 和 Grace 這對夫妻都是射手座，愛吃、愛做菜、愛旅行，在二十五歲那一年，以開設 Rico Padre 這家酒吧作為長大的象徵。Ri 喜歡老年份的威士忌和雪茄，Grace 則愛上紅酒和香檳。雖然同星座，性格和喜好卻大不相同，但又能互補得恰到好處，讓 Rico Padre 散發出獨特的氣質。

高貴奢華的悠閒氛圍

完全沒有圍牆的遮蔽，來到 Rico Padre 門前，一眼就能清楚看見在造型獨特的三角形玻璃帷幕建築旁，戶外露天座位的木質桌椅和躺椅，圍著長方形泳池擺放，散發峇里島般的悠閒氛圍，後面還有一棟二層樓高的方形建築。

一走進室內，西藏古董櫃守候在玄關，紫色馬賽克拼貼地板迎接來客入內，大紅吊燈強調吧台所在位置，吧台後方還有個混搭馬賽克和沙發的明亮包廂空間。但大部份的座位都在吧台前方，以深藍色、深紅色為基調，選用歐洲名師設計的家具，營造極簡奢華的放鬆空間。在三角形屋的盡頭，還看得到玻璃

派對限定

週末固定有樂團表演，夏日週末還有比基尼派對。萬聖節、聖誕節都會舉辦派對活動，跨年夜則有精彩的煙火秀。獨立包廂空間位在二樓，能不受打擾地盡情享受歡樂時光。

01歡迎進入香檳的花花世界02各式調酒任君選擇03春天馬戲團&草莓冰凍馬丁尼04店內的調酒師十分專業

未成年請勿飲酒

01

後方的紅酒酒窖。

看到這樣的排場，人們或許會以為酒吧背後的財主資金雄厚，然而這卻是由一對年輕夫妻胼手胝足打造出來的成果。十多年前，夫妻倆一邊籌錢一邊蓋這棟建築，連先前經營的餐廳都賣掉了；以三角形建築為核心再向外延伸，不是為了鶴立雞群，而是為了節省建材費。

香檳與紅酒的微醺世界

Grace 是為了經營 Rico Padre 才開始接觸酒，就這樣愛上了香檳和紅酒。她說，一看到香檳裡不斷冒出的細緻泡泡，就會讓人覺得充滿了幸福和希望；而變化多端的紅酒，雖然很好親近卻很難懂。兩者最大的共同點，就是能讓人醉得很優雅，是貴婦的最愛。

Rico Padre 的水果香檳，有水蜜桃、哈蜜瓜、草莓、柑橘和荔枝等口味，以法國原味香檳 DRAPPIER 為基底，加入水果果露和果肉，皆擁有獨特香氣和口感。店內供應的紅酒，也是他們親自前往歐洲的釀酒莊園挑選進口，以法國和義大利酒為主。

01鋪在海鹽上的烤勃根地田螺02酸辣口味的西班牙烤蝦03薄荷酒&烤犢牛肉04每一種調酒皆有專屬杯子05低調奢華的空間06充滿慵懶氛圍的戶外座位07草莓奶酒08讓調酒師為你獻上美酒吧！

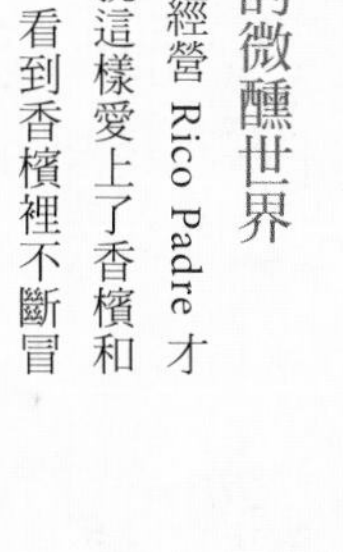

04

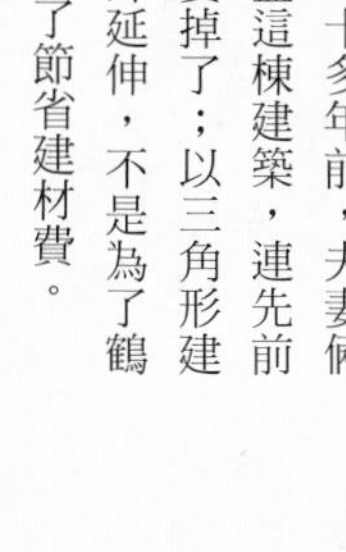

03

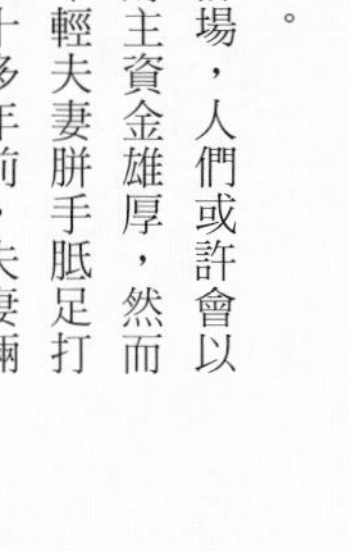

02

06

05

這裡的調酒也很精彩，調入多種基酒和果汁的春天馬戲團，擁有水果茶的酸甜，但基酒間的衝突風味卻讓腦子裡開始像馬戲團般的躍動不已。時下相當流行的MOJTO薄荷酒，是將砂糖和薄荷葉打碎後，再加入萊姆酒和檸檬汁，風味清新沁涼。還有草莓奶酒、覆盆子藍姆酒、草莓冰凍馬丁尼等等，美麗誘人的外觀、甜美的口感，常讓人毫無防備地不斷續杯，但強烈後勁可不能小覷。

配酒料理則是由愛做菜的Ri研發，嚴選優質食材、搭配高檔餐具，無論是烤勃根地田螺、西班牙烤蝦或是烤犢牛肉，風味獨特、口感豐富，皆是值得慢慢口味的美味料理。＊

Rico Padre
add 台中市政北二路46號
tel 04-2255-1919
time 16:00~凌晨3:00，夏日週末13:00~凌晨3:00。
price 低消380元

08

07

未成年請勿飲酒

歐貝拉時尚餐廳 Opera LOUNGE
平價實惠的豪華酒吧

text 洪禎璐　photo 黃裕順

01

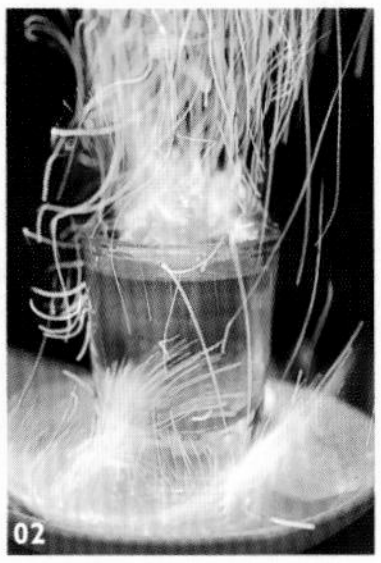

以巴洛克豪華建築佇立在美術館前綠園道巷弄裡，歐貝拉時尚餐廳的室內空間同樣高調奢華，平日的調酒價位卻實惠到令人咋舌。

甫於二〇一〇年二月開幕的歐貝拉時尚餐廳，是劉老闆轉型經營的第一家酒吧。「歐貝拉」聽來時尚，也有看來相當切合的英文名字「Opera」，但實際上是出自於台語的「黑白喇」，強調混搭精神。

高質感享受

從玄關推門走入，吧台前方的挑高空間裡，華麗水晶吊燈讓牆面的巨幅抽象畫更顯耀眼，時尚L型沙發和古典歐風沙發錯落擺放其間，流洩出混搭奢華風。

走上令人目眩的樓梯抵達二樓，映入眼簾的是四個風格迥異的開放式包廂。最搶眼的就屬左側的朱紅色包廂，以紅色中式門扉強調中國風情，紅色沙發後方，掛著強調胭脂紅唇的女性臉部特寫巨幅照片，並以白色皮毛抱枕綴和紅色的烈豔。左側則是以黑色流蘇隔開的包廂，色彩濃郁華麗的印度風、黑白斑馬紋狂野縱橫的，和充滿沉靜氛圍的黑夜風，各式氛圍任君選擇。

劉老闆說，他想要經營一家硬體足以與台北酒吧媲美的高質感享受，但是消費相對實惠的酒吧。

專業服務

從調酒、美食到服務生，劉老闆都有其高標準的堅持，讓人一踏入就彷彿變身為富豪貴族。

兩位專業調酒師都是花式甩瓶高手，若是想要親眼目睹各種花招，儘管提出要求。調酒師阿ken參加二〇〇八年急智創意調酒大賽，所創作的「濃情巧克力」以女性愛吃巧克力為靈感，結合奶油酒、咖啡酒和鮮奶油，加上咖啡式拉花，嚐來十分香甜。

最耀眼奪目的，莫過於「毒藥」這一款，結合香草酒和香橙酒，在杯子外的盛盤裡倒入濃度高達百分之七五‧五的蘭姆酒，點火後，將肉桂粉灑入酒中，能完全提出肉桂的香氣。接著，以另一個杯子倒扣蓋住酒杯。品嚐時先喝一口酒，再呼吸蓋杯裡的香味，會有抽水煙的感覺。劉老闆也堅持要提供創意料理，以「讓顧客朝思暮想，只有這裡吃得到」的標準要求主廚，從道奇海鮮盅、靈感源自骰子牛肉的歐貝拉紐西蘭沙朗、口味厚重辛辣的鹽燒一分牛，每一道都充滿了主廚的巧思。＊

歐貝拉時尚餐廳
add 台中市五權七街65號
tel 04-2372-5020
time 20:00~凌晨4:00
web www.opera2010.com.tw
price 6人座低消平日2000元，假日3000元。

派對限定
週日至週五固定舉辦調酒無限暢飲活動，每週三為主題角色扮演夜，只要穿上主題服就享有點餐八折的優惠。週五有爵士樂表演，週六則有逗趣的模仿秀和現場演唱，每個夜晚都能享有不同的歡樂體驗。

01道奇海鮮盅**02**效果炫麗的「毒藥」**03**用心設計的主題包廂

01

Roof Park 屋頂
最燦爛的煙火派對

text IR　**photo** 何忠誠

03

02

是有絕佳高雄夜景的泰式餐廳，也是慵懶、隨興的夜間 Lounger Bar，位於15樓的 Roof Park，擁有傲視高雄南區的美麗夜景和高雄指標性的節慶派對，在高雄的夜裡居高閃耀，和港都星空相互輝映。

歡愉而隨興的音樂，隨著節奏變換七彩的吧台，寬闊的空間中擺放著舒適的沙發座位，這裡九點半前是專賣泰式料理的風味餐廳，九點半一過則成了放鬆自在的酒吧，多變而亮麗，不管是友人聚會或下班想找個休息舒適的角落，在這裡，只需要放鬆心情做自己就對了。

忘年生日派對

因為場地的優勢，加上 Roof Park 團隊的用心，屋頂的派對在高雄打響名號，凡舉萬聖節、聖誕節或跨年，都吸引了許多年輕朋友、外國友人和時髦人士精心打扮來參加活動。如每年萬聖節舉辦的變裝 Party，除了店內炫目奪人的燈光設備之外，最讓人熱血沸騰的就是變裝國王或皇后的票選，只要夠誇張、夠辣，一出場能讓全場 High 翻，就有機會獲得勝利。

為了讓客人在這裡擁有更多美好的回憶，Roof Park 也推出只要來屋頂慶生，就送和年紀相同數量的煙花試管酒。店長 Leo 開心地回憶到，推出這個活動以來，吸引了許多年輕人帶著長輩來店裡用餐，目前最高紀錄是一位八十歲的阿嬤用

01時尚舒適的用餐環境02依年齡歲數而提供相等數量的煙花試管酒，吸引許多人來此慶生同樂。03餐廳的天台可遠眺高雄南區夜景

派對限定

提供包場辦活動，慶生即送和年齡相等數字的七彩煙花試管酒，壽星當日消費只要75折，Roof Park希望每個到這裡慶生的人都能真正感到「生日快樂」。另外，聖誕節、萬聖節和跨年等重大歡慶節日均有派對活動。

01

03

02

了八十支煙花試管酒慶生、唱生日快樂歌，雖然阿嬤一開始對於來「夜店」慶生感到很不自在，但隨著 Roof Park 的服務生熱切地炒熱氣氛和唱歌，阿嬤最後滿臉喜悅地歡度了她的八十大壽。

夜間的泰式美味

配合餐廳迷幻的空間和泰式餐飲風情，店內人氣最高的調酒就是色彩鮮豔橘紅、呈現濃厚熱帶風情的邁泰（Maitai），香甜活潑的口感相當受到客人的喜愛；清涼勁爽的 Mojito 也是人氣居高不下的商品，配合泰式料理的勁辣，在口中激盪出燦爛的火花，讓用餐的歡愉加倍滿足。

雖然是 Lounge Bar，但這裡的泰式料理可一點都不馬虎。切成細長條狀的「椒鹽臭豆腐」香辣帶勁，除了外型方便品嚐入口之外，不管晚餐吃或是搭配調酒當下酒菜，都是美味感受；另外一道「就是辣」，使用獨家辣醬搭配蟹肉、蛤蠣、花枝等綜合海鮮，用料豐富、口味麻辣，許多客人都因為這又香又辣的滋味而一吃就辣上癮。＊

05

04

Roof Park
add 高雄市林森一路165號15F（林森中正路口）
tel 07-241-6666
time 週日~五18:30~凌晨3:00，週六18:30~凌晨4:00。
web www.roof-lounge.com
price 低消250元

01白桑格里不管視覺或味覺都充滿東南亞風情**02**「就是辣」，讓人食指大動。**03**椒鹽臭豆腐是店家大力推薦的下酒菜**04**Roof Park販售各式各樣泰國料理。圖為椰奶雞肉燴飯。**05**百年經典熱帶調酒「邁泰」

Relax
星光夜未央

夜色籠罩，
就該選間Lounge Bar享受對今日的意猶未盡…

Champagne II
歡愉與奢華的代名詞

text 李芷姍　photo 周治平

01

03

02

香檳，愉悅與喜慶的象徵，頂級奢華的代名詞。男人沉醉在香檳所代表的勝利感與豪奢，而女人，則是對那金黃璀璨的色澤以及細小氣泡滑過舌尖的無盡快感迷戀不已。

身為台北都會數一數二的香檳吧，Champagne 香檳坊始終居於王者的地位，傲視著酒吧街上的起起落落，人來人往。Champagne II 的入口設計相當低調，漆黑的大門上頭，招牌不起眼地散發淡黃色的光影，彷彿只有行家才得以一窺堂奧。走進店裡，映入眼簾的高聳香檳酒窖既為裝飾，也是一種宣示，告訴每位進門的顧客 Champagne II 對香檳酒的自恃與堅持。

在高腳杯中舞動的精靈

和 Champagne I 一樣由老闆 Vivian 親自設計打造，Champagne II 的裝潢在時髦中更帶著女性特有、貓一般的慵懶氣息。狹長的白色吧台和後方香檳牆是令人驚豔的視覺焦點；牆上掛的現代畫與攝影作品為每個座椅區帶出獨特個性。絨布造型的沙發上放置著大型抱枕，無論是誰都可以卸下緊繃的身軀和心靈，讓身體陷入寬敞舒適的沙發中，盡情享受香檳在舌尖跳舞的滋味。

以香檳為號召，Champagne II 的香檳無論是年份或種類都相當齊全，其中更不乏價格令人咋舌的稀有酒款。超過一三〇種的香檳酒分為熱門香檳、頂級香檳以及限量香檳三大類。柏林格 Bollinger、香檳王 Dom Pérignon、銘悅香檳 Moet

夜空限定

相較於果味濃厚的調酒，Classic Champagne Cocktail是利用軒尼士VSOP威士忌、香味苦汁引出香檳原始的葡萄香氣和層次。最後加入的方糖加速氣泡竄升，彷彿象徵著成功人士的勝利與自信。

04

01一進門就看見滿櫃的香檳酒**02**轉角的攝影作品**03**寬闊的沙發讓人卸下心防**04**享受獨飲的樂趣

未成年請勿飲酒

01

02

03

04

& Chandon、慧納酒莊 Ruinart 等經典品牌均在酒單之列，而頂級的年份香檳以及傳說中的最佳年份酒，也有完整的收藏。

對懂香檳的行家級顧客來說，Champagne II 無疑是最佳的遊樂園，幾隻收藏酒如一九九五年的 Cristal 香檳，瓶身全由水晶玻璃製成，還有一九九六年的 Salon 香檳，都是店裡的鎮店之寶。此外，老闆 Vivian 還有好幾隻夢幻逸品放在家中，這些極品私房酒專為懂香檳與熱愛香檳的顧客開瓶。

小酌淺飲，靈魂深呼吸

至於女生喜愛的調酒，Champagne II 更是講究到苛求的程度。香檳調酒延請英國籍的世界調酒冠軍設計，以衝力強勁的 Piper Heidsle 香檳做為基酒，加入六至七種水果以及配酒調和，創造出嶄新而層次豐富的口感；LL Fizz 是為甜美的女性所調配。將新鮮草莓壓泥，加入覆盆莓伏特加和黑莓果汁，最後再倒入滿溢的香檳，酸甜交織的濃郁莓果香與香檳上下交融，帶來豐饒歡娛的風味；Jade Royale 是調酒師獻給獨立幹練女性的贈禮。加入新鮮奇異果、Midori 哈密瓜香甜酒、蘋果汁、香檳等，碧綠色彩的調酒上，香檳氣泡不斷地跳動，融入清爽果香與香檳的深度，淡淡的酸味份外引人遐思。

雖然在安和路上算是老字號的店家，Champagne II 始終走在時尚尖端。除了兼顧設計感與舒適的空間之外，對頂級酒的呵護堅持，也讓政商名流和知名藝人如陶喆、賀軍翔、蔡依林等成為座上賓。而女性對香檳的偏愛，也使得 Champagne II 成為都會女性獨自小酌或姊妹聚會的首選。不需要男人領路，不妨挑個特別的日子慰勞自己，浸淫在金黃色的醇美液體中，享受香檳帶來的無上歡娛和終極快感。＊

Champagne II
add 台北市安和路二段169號
tel 02-6638-1880
time 週日~四19:30~凌晨3:00，週五~六19:00~凌晨4:00。
price 低消平日300元，假日500元。

01品嚐Classic Champagne Cocktail，最後要加入方糖加速氣泡竄升。02茴香鮭魚捲和德式香腸拼盤是配酒的人氣餐點03這裡的杯盤擺設均為一時之選04女生喜愛的調酒延請英國籍的世界調酒冠軍設計05Champagne II的藏酒

05

China White
當中國白瓷遇上現代Lounge

text 李芷姍　**photo** Alan Lin

01

04

03

02

彷彿不曾存在一般，在車水馬龍的敦化南路中，China White 靜靜地躲藏在轉角的二樓。初來乍到的顧客迷茫著雙眼，穿過巷弄與店家，經過好一番工夫，終於才找到這一間融合東西，並存古今的獨特酒吧。

China White 不僅白得時尚，更散發一股濃濃的中國味。知名室內設計師甘泰來以溫潤古雅的德化窯白瓷為發想，大膽地將天井、吧台乃至於桌椅全部渲染為一抹純白。吧台後方怒放的黑白牡丹與典雅冷調的白色空間形成搶眼對比，而空間中水墨吊燈、中式燭台等小飾品隨意擺設，畫龍點睛地突顯出東方主題。傳統與現代在這裡找到了完美平衡，一般總認為是大紅大黑的中國風，原來也可以白得這麼優雅，如此自然。

現代中國風的感官共鳴

老闆 Leo 原為文字工作者，他以獨到眼光和品味，讓時尚代名詞的 Lounge 染上藝文氣息濃厚的中式氛圍。沙發上的靠枕，是他請畫家牧羊女一個個親筆揮毫彩繪，員工制服則大手筆採用夏姿設計的旗袍、馬褂。而投射在壁面的情境動畫也是經過精心設計，緩緩綻放的紅豔牡丹花，走過飄雪山谷的雄鹿、流水畔的枯藤老樹…動靜之間引領顧客走入文人畫般的中式情境。

由於位在商業大樓，China White 從中午即開始營業。白天的 China White 是一間純白摩登的餐廳，並供應下午茶餐點。白天窗明几淨的餐廳，隨著夜幕低垂、窗外街燈亮起，即變身為風格迥異的黑色 Lounge Bar。店內燈光隨著黑夜到來而調至昏暗的紅、黃、藍色調，節奏強烈的 House 音樂融合電子元素與傳統二胡、揚琴，配合不斷幻化的情境投影，China White 彷彿成為純潔與魅惑交織的神祕世界。

最懂女人心的調酒師

除了酒吧必備的基本酒款，China White 之所以能夠成為都會女性最愛的店家之一，正是由於其色彩豐富、創意十足的調酒。擁有業界少見的女性調酒師，China White 調製的可以說是最懂得女性的調酒。

除了酒單上可見的調酒，調酒師也可以依照顧客的特色、喜好，用當季水果調製特別酒。像是 Princess Mia 以伏特加做基酒，加入新鮮草莓和蔓越莓，酸甜的滋味，讓在公司受了一肚子氣的OL們，也能馬上感覺到幸福。＊

China White
add 台北市敦化南路二段97-101號Modern Mall 2樓
tel 02-2705-5119
time 週一~四12:00~凌晨2:00，週五12:00~凌晨3:00，週六18:00~凌晨3:00，週日18:00~凌晨2:00。
web www.chinawhite.com.tw
price 22:00過後低消350元

未成年請勿飲酒

夜空限定

La Vie en Rose混合了散發清爽玫瑰及黃瓜風味的亨利爵士琴酒，以及玫瑰糖漿。猶如清晨玫瑰一般淡粉色的調酒中，還飄浮著一根爽口的綠蘆筍。淡雅花香中，有著琴酒獨特的香草氣味，就像是它的名稱典故：透過玫瑰色的玻璃看人生，生命似乎變得更加旖旎而豐富。

01白天的China White是極簡時尚的純白餐廳**02**如清晨玫瑰般的La Vie en Rose**03**小細節充滿設計感**04**美食美酒相得益彰

後院 Larriere-cour

威士忌達人的私房後花園

text 李芷姍　photo Alan Lin

01

04

03

02

06

05

在綠意盎然的小門後頭，是金黃璀璨的威士忌殿堂。撥開長春藤走入屋裡，激情的老搖滾歌聲迴盪在昏暗的室內，而密密麻麻排滿整面牆的威士忌酒瓶，呼應著老顧客給這家酒吧的封號——威士忌博物館。

被威士忌迷們當做自家後花園的後院 Larriere-cour，它的名氣不僅僅因為驚人的單一麥芽威士忌收藏，更在於老闆以及熱愛威士忌的一群酒癡員工們。老闆林一峰是酒界鼎鼎有名的威士忌達人，著有多冊威士忌專書，並於二〇〇八年獲得蘇格蘭威士忌產業的最高榮譽「The Keepers of The Quaich」。

後院酒吧是老闆十幾年來，對於威士忌愛情的具體展現，將近四百種威士忌產地遍布蘇格蘭各區、美國、愛爾蘭與日本，而單一純麥威士忌收藏的完整與刁鑽，更是令人咋舌。

技巧與熱忱讓威士忌更美味

打開後院的酒單，在幾款推薦威士忌的後頭，是密密麻麻的酒品清單。店內所有威士忌均提供單杯販賣，幾款名家逸品，如 Suntory 響系列的三十年陳年威士忌，甚至是全台不到二十隻的夢幻絕版酒 Brora 蘇格蘭單一純麥的二十五年陳年威士忌都可以單杯享用。店裡特別從法國進口威士忌品酒杯，花苞形狀的酒杯可以讓酒香滿盈，從香氣到味覺，品味威士忌的精髓。

許多人喜愛冰鎮飲用威士忌，認為冷冽低溫能更夠加凸顯酒香。店家為了不讓融冰破壞風味，對冰塊特別下功夫講究，使用冷藏十天、厚度紮實的大塊冰塊，再切割成均勻的六角鑽石形狀，酒杯中搖晃的冰塊既好看，又能長時間維持溫度，不易融化。

美食、醇酒、人與人

對於自成風味的威士忌調酒，調酒師也費了一番功夫研究。當家調酒 Manhattan 以威士忌與苦艾酒做基底，調和出豪邁又不失細膩的美式男人風味。

有別於一般威士忌的老派印象，後院給顧客的感覺是親切而舒適的。調酒師會與顧客熱情寒暄，不厭其煩地講解威士忌的品牌和學問。源自於對威士忌的熱愛，沒有隔閡的空間營造，讓顧客得以盡情享用威士忌以及琳瑯滿目的現做美食。無論是兒女帶老爸，還是老爸帶兒女，在後院都可以能夠放鬆心情，感受久違的愜意時光。 *

後院 Larriere-cour
add 台北市安和路2段23巷4號
tel 02-2704-7818
time 19:00~凌晨3:00
web tw.myblog.yahoo.com/backyard-taipei
price 低消330元

未成年請勿飲酒

夜空限定

熟客才知道的祕密特調——古龍水，調合擁有特殊泥煤風味的艾雷島Ardbea 10年威士忌，以及果香豐盈的Dalmore 12年威士忌，最後再華麗點燃浸泡過夏翠思香甜酒的迷迭香枝投入杯裡，酒氣與草香上下交融，帶著清淡麝香與漿果甜味的獨特風味。

01踏入隱密而優雅的威士忌世界02&04沒有隔閡的空間，得以盡享威士忌的香醇。03用來擺設的小瓶塞05焰火迷迭香與冰鎮威士忌結合06配合顧客需求，調酒師也會更換Manhattan的威士忌基酒。

邱吉爾爵士雪茄館

經典英國紳士風範

text 李芷姍　photo 李美玲

01

04

03

02

在清脆的鋼琴樂聲伴奏下，女歌手輕唱著低迴動人的爵士樂曲。客人們有的搖晃酒杯閉目聆聽，或與身旁同伴低頭私語。在 Churchill Bar，無論誰都能夠找到屬於自己的安適空間。

由前英國首相邱吉爾的肖像畫引路，走進六福皇宮三樓的邱吉爾爵士雪茄館，彷彿來到了五〇年代的英國沙龍。厚重柔軟的深棕色沙發讓人卸下一身疲憊，兩旁擺放的原文精裝書，展現英式讀書室一般的氛圍。沉穩典雅的裝潢空間中，隨處可見邱吉爾的照片、勳章和畫像，優雅、擇善固執，英國紳士標準的寫照透過畫框中的邱吉爾表露無疑。

高雅頂級的環境和服務，隱密沉靜的空間安排，讓邱吉爾爵士雪茄館開幕十年來深受政商名流愛顧。不少在商場政壇叱吒風雲的人物喜歡來這裡小酌一杯，享受不被打擾的片刻悠閒。

身分與不凡的表徵

對於喜愛雪茄的菸客來說，邱吉爾爵士雪茄館不但環境一流，更擁有全台屈指可數的豐富收藏。尤其酒吧今年起與太平洋雪茄公司合作，在品項與專業度又更上一層樓。館內雪茄以手工綑製的高級古巴雪茄為主，提供不同長度、等級以及產地的進口雪茄。專業人員會親切地為顧客掛好外套，然後引領顧客進入經過嚴格溫濕度控制的雪茄陳列室，讓他們自由瀏覽、觸碰，挑選合適的雪茄。在專屬的雪茄室裡，或是點杯咖啡，在雲霧中兀自沉思，或是與三五好友天南地北地閒聊，高檔品味也可以很隨性。

吞雲吐霧，品味尊榮

而邱吉爾爵士雪茄館不但有種類豐富美酒佳餚，更提供來客一份特殊的尊榮感。服務人員親切的招呼，以及有條不紊的專業服務，讓顧客確實感受到不一樣的特殊禮遇。購買一瓶三千元以上的烈酒，雪茄館還會為顧客掛上刻有姓名的邱吉爾肖像銀製酒牌，並成為俱樂部會員。

頂著五顆星的光環，酒吧提供的餐點自然也相當講究。餐點以輕食、小點為主，其中不乏揉合主廚巧思的無國界創意料理。雪茄好酒與美食，配合著現場演奏的爵士樂，成功人士的大人之夜，才正要開始…… *

夜空限定

純麥威士忌、蘇格蘭、愛爾蘭、波本威士忌，以及法國干邑白蘭地，雪茄館內數量眾多的烈酒滿足紳士名流的喜好。此外還有雞尾酒以及按照季節新推出的限定酒單，像夏天就推出輕涼消暑的古巴調酒Fruit Mojito，檸檬、草莓與芒果三種口味的水果，分別與新鮮薄荷葉、藍姆酒交融出爽口冰涼的口感。

邱吉爾爵士雪茄館

add 台北市南京東路三段133號 六福皇宮3樓
tel 02-8770-6565
time 週一～週六15:00～凌晨1:00，週日15:00～23:00。
web www.westin.com.tw
price 低消500元

01調酒搭配佳餚，突顯五星級主廚深厚的功力。**02**沉穩典雅的英式休憩空間**03**特製銀酒牌讓客人享受專屬尊榮**04**雪茄館是商務人士小酌一杯的重要場合

Franz & Friends

夜未央，法蘭瓷與音樂共舞

text 李芷姍　photo 石宗仁

01

04

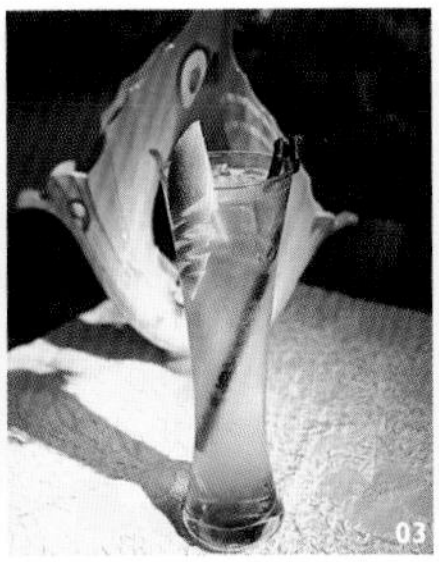

03

02

06

05

舞台上歌手以渾厚低迴的嗓音，緩緩唱出似曾相識的熟悉旋律。在 Franz & Friends 的悠揚樂聲陪伴下，入眼的是名瓷，品味的是美饌，藝術就是生活，而生活本身就是一種享受。

渾厚溫潤的瓷器飾品擺放在寬闊桌前，瓷器上頭姿態優雅的百合花，翩翩起舞的火紅蝴蝶，神氣昂首地荷池綠蛙為餐桌帶來一股自然生機。抬起頭來，牆上裝飾著國寶級陶藝家孫超的前衛瓷畫，來到 Franz & Friends 法蘭瓷音樂餐廳，竟有種目不暇給的感覺。

三十年夢想的延續

法蘭瓷，這個在國際大放光芒的台灣瓷器品牌，成立還不到十年光陰，便成功進駐世界的陶瓷精品名店，贏得包括艾爾頓強、美國前總統柯林頓等名流的喜愛。「自然」是這個品牌一貫的主題，與國內頂尖的工匠和設計師合作，精美程度直比歐洲的百年工藝。

三年前法蘭瓷與城市舞台攜手，在地下室的一隅創立這間藝文沙龍。瓷器品牌跨足飲食，背後其實有著一段故事。三十多年前，法蘭瓷的總裁陳立恒在台北東區成立了民歌西餐廳「艾迪亞（Idea）」，在那個封閉的年代，艾迪雅率先引進西洋流行歌曲、爵士音樂，成為當時台北文藝青年賴聲川、胡茵夢、羅曼菲、蔡琴等人相識、聚首的地方。

當美食遇見美瓷

白瓷精品是 Franz & Friends 最引以為傲的特色，而精緻西式套餐和音樂則是讓顧客一再造訪的推手。要配得上滿桌的精美瓷器，餐點自然也不能馬虎。正統西餐擺盤華麗搶眼，還加入廚師個人的巧思，肥美的焗龍蝦中，吃得出廣式XO醬的影子；明太子義大利涼麵運用和風食材，並配合襖熱氣候做成適合台灣的涼麵風。

夜晚華燈初上，當吧台酒保端出色彩紛呈的雞尾酒，而舞台上樂手準備就緒，Franz & Friends 就會從餐廳變身為雅致的音樂酒吧。爵士樂、Bossa Nova、中英文老歌、鄉村搖滾樂每天輪番上演，悠揚的樂聲迴盪整個空間，啜飲一口色彩晶瑩的 Cocktail，在酒精的催化下，思緒隨著音符起飛飄揚，時而喜悅，時而沉醉。*

Franz & Friends
add 台北市八德路三段25號B1樓（社教館城市舞台B1樓）
tel 02-2579-0558
time 11:00~24:00
web www.franzandfriends.com.tw
price 低消300元

未成年請勿飲酒

夜空限定
夜晚，Franz & Friends化身為音樂吧，每天均有不同表演曲目，爵士、民歌、老歌、中英流行歌曲…緩緩流瀉在這個藝術空間。不論是鋼琴抑或薩克斯風，用似曾相識的旋律佐以美饌和伏特加，是聽覺、味覺和視覺的三重享受。

01栩栩如生的花、鳥瓷器躍然桌上02夜晚化身音樂吧03淡藍色的Blue Sky04Cosmopolitan以柑橘香甜酒交織伏特加與檸檬氣息05美食與美瓷相互輝映06芥末籽法式羊背排

Khaki 咖啡吧／W Bar

設計師的任性，沙龍的恣意

text 李芷姍　photo 石宗仁

01

03

02

殖民時代的狩獵風潮重現台北東區。只不過這次地點不是荒山野嶺，而是更兇狠的都市叢林，人們來到這邊為的是涉獵時尚，一種比獅子猛獸更讓人屈服的勢力。

一廂是獸皮與復古家具交織成的摩登狩獵空間，另一廂則是立足古今時尚交會點的格調夜店。分別位在同棟建築一樓與三樓的兩間酒吧，風格各自迥異，卻都可以感受到知名服裝設計師溫慶珠獨有的玩心與創意。

Khaki，狩獵在都會叢林

Khaki 是設計師溫慶珠的嶄新風格提案，以她鍾愛的卡其布料為發想，揉合維多利亞時期的狩獵風格和懷舊普普風，妝點出這麼一間別出心裁的咖啡吧。走進店裡，首先吸引目光的是地面的獸皮毯，一旁茶棕色的老式沙發間以斑馬紋路，原木與瓷磚推波助瀾似地烘托出 Safari 的野外氣息。

既然叫咖啡吧，Khaki 的菜單中當然少不了手工蛋糕與咖啡下午茶。然而一到夜晚，白天輕鬆悠閒的氣氛隨著暗垂燈光旋即轉為都會風夜吧，熟悉的名流和藝文人士不約而同齊聚在此，在洋溢著流行感的空間中享受片刻的自由。

店裡提供的餐點相當隨性，有配

04

夜空限定

Khaki在晚餐時段（18:00至24:00）提供特別套餐，過了用餐時段，想小酌一番，也有簡單的調酒可以選擇，但是種類不若W Bar多，如果想享受微醺的夜晚，就到晚上七點後才開始營業的W Bar吧。

01華麗感性的W Bar**02**外面寬闊的陽台是溫慶珠選擇在這裡開店的主因**03**在Khaki咖啡吧享受下午茶也很愜意**04**時尚裝潢，讓W Bar成為姊妹聚會的最愛。

01

色豐富美味的德國豬腳義大利麵、美式三明治、焦糖布丁，卻也有道地的台式牛肉麵。看似沒有章法的餐點，滿足溫慶珠「讓人隨時都想來」的任性，同時呼應了溫慶珠開店的初衷：打造出自然快樂的隨性空間。

W Bar，復古奢華

如果說 Khaki 展現的是溫慶珠的自然玩心，那麼 W Bar 所代表的，就是她華麗感性的另一面了。深色調的空間擺裡放著溫慶珠從各地蒐集而來的復古家具，Jazz 樂聲輕柔地流瀉，環視四周，饒富中國趣味的鐵花屏風加上從天井垂降而下，璀璨生輝的現代珠簾，共築華麗雅致的空間感。W Bar 就像是優雅的上海貴婦，有著濃郁典雅的中國風情，同時兼具當代西潮的丰采。

「會選擇在這裡開店，完全是因為這片陽臺。」溫慶珠說。寬闊的陽台區隔了仁愛路的車水馬龍與室內的時尚雅痞，涼風越過樹梢徐徐吹拂，都會裡的嘈雜喧囂被遺忘在腳下。

東西方衝突成為店內的視覺亮點，在餐飲方面也不例外，美式點心與台菜滷味一網打盡，東西兩方的隔閡因為獨特的空間美學，輕易地被跨越。

另外，特別推薦當家調酒 Zen，以琴酒做基底，加入現泡的極品烏龍。琴酒的藥草清香和烏龍茶意外和搭，入口酸甜，隨之而來的是濃烈茶香，果然禪意十足。

*

Khaki咖啡吧／W Bar
add 台北市仁愛路四段15號1樓／3樓
tel 02-2779-1152（Khaki），02-2779-0528（W Bar）
time Khaki咖啡吧，12:00~24:00，週五、六12:00~凌晨2:00。
W Bar，19:00~凌晨1:00，週五、六19:00~凌晨3:00。
price 低消Khaki 120元，W Bar 350元。

01德國豬腳義大利麵，Khaki菜單結合多國美食。**02&03**加入酸甜鮮果的調酒**04**美味輕食符合現代養生概念**05**Khaki咖啡吧挑高兩層樓高

未成年請勿飲酒

Whisky Gallery

蘇格蘭麥芽威士忌的秘密基地

text 郭燕如　photo 何忠誠

01

03

02

這個專屬於 SMWS（蘇格蘭麥芽威士忌協會，The Scotch Malt Whisky Society）會員的家，是威士忌愛好者聚會歇腳的地方，也是忙碌生活中的停靠站。

座落在仁愛圓環旁的巷內，Whisky Gallery 新落成的空間規劃，巧妙地將雪茄室、儲酒室、紅酒教室、咖啡座融為一體，滿足了 SMWS 會員對於隱密空間的需求。來自一〇五家蒸餾廠、六八〇種蘇格蘭單一純麥威士忌在吧台後一字排開，即使是白天，吧台的昏黃燈光營造了舒適又放鬆的氛圍。

限量的專屬尊榮

在全世界有十四個分會、擁有六萬多個會員的 SMWS，總會位於蘇格蘭的愛丁堡，成立已有二十多年歷史，是世界上最大也是人數最多的威士忌專業組織，更是少數擁有私人俱樂部的組織。台北分會在二〇〇七年由會長黃培峻與一群威士忌愛好者在台中成立，Whisky Gallery 則是台北的會員俱樂部，目前有五百多名會員。加入 SMWS，每年需繳交五千元會費，初次入會者會收到一份禮物，盒子打開，裡頭是會員徽章、會員手冊與需知，更特別的是，還有四瓶來自各個地區的威士忌，讓新加入者可以自己小飲後找出自己偏愛的酒款。

喝威士忌就像交朋友

如果只是想認識威士忌，Whisky Gallery 也歡迎不是 SMWS 會員的人來此一窺蘇格蘭威士忌的堂奧，即使不能購買單瓶酒，還是可以點單杯的酒款，嚐嚐蘇格蘭純麥威士忌的滋味。不知該點什麼酒款的威士忌入門者，來此可以試試「Whisky Tour」，一次端上五支不同地區的酒，一次品味不同地區的風味，也可以試出最能接受的酒款和口感。

SMWS 的企圖心不僅於成立台灣分會，更想要成為台灣與國際酒文化接軌的橋樑，因此除了每個月早就規劃好以便會員安排時間參加的品酒會、餐酒會、雪茄品酒會，這裡還有全台灣第一家侍酒師訓練學院，還將從日本引進調酒研究院。

在英國求學期間愛上蘇格蘭威士忌風味的黃培峻，鼓勵大家用交朋友的心態來認識威士忌，他建議買酒時應該每次都購買不同品牌的酒，從一開始的接觸，到後來慢慢品嚐後的過程，就像交朋友一樣，這才能體驗品酒的真正樂趣。＊

Whisky Gallery
add 台北市仁愛路四段112巷21號1樓
tel 02-2707-1986
time 13:00~凌晨3:00
web www.smws.com.tw
price 會員一年5000元會費

夜空限定
只有會員才能購買協會所進的單一酒桶原酒威士忌（Single Cask Strength），這些由單一蒸餾廠內的單一酒桶所灌裝的威士忌，只能生產約六百支酒，由全球的SMWS會員共享，因此台灣會員頂多只能分到30支，既珍貴又稀少。

01Whisky Gallery吧台**02**SMWS會長黃培峻**03**這裡是威士忌愛好者的秘密基地**04**威士忌單杯機，在電腦上輸入個人資料就可以試喝威士忌。**05**牆上堆滿了空酒瓶

01

Trio 三重奏

品味香醇麥卡倫

text 洪禎璐　photo 周治平

04

03

02

橄欖綠牆面，包圍著木紋大理石桌、咖啡色和駝色皮椅，讓人備感溫馨。Trio 三重奏不將酒館設限為 pub 或 lounge，來到這裡喝杯酒、吃點東西就好像是日常生活的一部份。

位在靠近安和路的敦化南路巷弄裡的 Trio 三重奏，推開木框玻璃門走進去，只見低矮的吧台和兩個小圓桌，讓人還以為這是間十分小巧的小酒館。然而，循著牆後方的樓梯往下走，才發現裡頭別有洞天，穿過高吧台和紅酒櫃夾道的甬道，便是寬敞的座位區。

師徒的溫馨夢想

橄欖綠牆面，包圍著木紋大理石桌、咖啡色和駝色皮椅，讓人備感溫馨。這是由業界最資深的調酒大師王靈安，帶領兩位徒弟 Allen 和 Cody 一起開設的酒館。他們不將酒館設限為 pub 或 lounge，只是希望提供一個環境舒服、價格公道的品酒空間，讓來到這裡喝杯酒、吃點東西成為日常生活的一部份。

因此，店內的酒非常專業，料理更強調新鮮。調酒師不僅技術高超，態度也十分親切，更能為調酒的美味加分。料理部份，以王靈安喜愛的季節性日式料理為主，沒有固定的菜單，每天由主廚到菜市場選購之後才寫在黑板上。提供顧客美酒、佳餚兼備的享受。

優雅高貴，麥卡倫威士忌

擁有一百八十年以上歷史的麥卡倫威士忌，號稱威士忌中的勞斯萊斯，酒廠特色是堅持採用珍貴稀有的大麥品種釀製、多達四種酵母菌進行發酵、使用小型蒸餾器古法釀造以及只萃取出二次蒸餾後的百分之十六精華酒心，最後再使用頂級的 Oloroso 雪莉橡木桶成年，擁有其他威士忌難以望其項背的品質。

麥卡倫威士忌擁有精緻、優雅、高貴的品牌形象，味道品質很好，在四平八穩間擁有層次細節，因此單飲最為香醇，不適合加入其他味道調和。不過，冰塊卻很重要。一般來說，冰塊會降低酒的溫度，進而壓抑了酒香；但是，烈酒加冰塊飲用，可以減低酒的刺激度，讓香味出來，不過要如何讓酒不被冰水稀釋掉就是技術，最常用的便是大塊圓冰和八角冰，還有水割喝法所使用的二號冰。加了冰塊之後，麥卡倫威士忌嚐起來會有天然的甜椰奶味和麥芽香氣。＊

Trio三重奏
add 台北市敦化南路二段63巷54弄12號
tel 02-2703-8706
time 18:00~24:00
price 飲品180元起

夜空限定
麥卡倫威士忌為單一純麥威士忌，對菜餚包容性大，無論搭配海鮮、肉類都合適，甚至和川菜一起品嚐也很對味。Trio推薦可以搭配點用牛排丼或是泰式汆燙海鮮。做工繁複的六分熟牛小排薄片，和以低溫汆燙中卷，搭配酸辣泰式醬，更契合麥卡倫的酒香。

01專業調酒師能利用冰塊展現威士忌最醇厚的香氣 **02**資深調酒大師王靈安 **03&04**散發人文氣息的空間 **05&06**單一純麥威士忌無論搭配海鮮、肉類都很合適。

Mini Fusion
聯合國的迷你酒吧

text IR photo 何忠誠

01

04

03

02

不管是為了什麼理由走入 Mini Fusion，情感就和店名「Fusion」一樣，和他們，融合在一起了！相較於其他小酒吧，這裡木製的吧台讓人感到溫暖而優雅，Mini 的空間讓人感到溫馨而簡潔，就像黑暗中的寶石一樣，低調卻難掩其迷人的魅力。

傍晚走進位於高雄文化中心一帶的林德街，腦中才閃過彷彿電影《愛在黎明破曉時》（Before Sunrise）中維也納的街道小巷，Mini Fusion 的招牌就出現在眼前。門口以木製酒桶為主角的小庭園造景讓人真的有時空交錯的錯覺，帶著未知又期待的心情推開門，緩慢而輕鬆的音樂飄揚於耳際，眼前溫和簡潔的燈光，第一眼和 Mini Fusion 接觸，是一個優雅而溫暖的開始。

一杯調酒，一個故事

每間小酒館都有自己的故事和理念，而調酒師就像表演藝術工作者一樣，透過調酒將訊息傳達出來。在 Mini Fusion，現任店主 Danny 期許每個客人可以做自己的主人，決定自己的心情和劇情，不管是和自己對話或和朋友話家常，都可以在這溫暖而舒適的空間中，營造屬於自己的氛圍，用調酒增加深度和濃度。

吧台後方掛著爵士名伶黛安納克萊兒（Diana Krall）的大幅照片，是前店主兼現任調酒師 Asen 最迷戀的對象，店內調酒招牌之一「森林晨曦」就是 Asen 向這位迷人的

01溫馨舒適的空間，配上調酒師親切的笑容，讓人感到溫暖。02以葡萄為基底的「藍眼菊」深受女性喜愛03調酒師專業而熟練的動作每天在客人面前表演04「森林晨曦」是調酒師Asen向爵士名伶Diana Krall致敬的作品

夜空限定

最受到女性喜愛的為一款以花為名的調酒「藍眼菊」，取其花語幸福、愉快，粉紫色的浪漫外觀，品嚐得到葡萄的酸甜，加入微量奶油讓整體口感更溫潤，是洋溢在口中的幸福。搭配調酒的小菜如紅麴雞腿和香煎鮭魚等，是店家堅持不用調理包所精心製作的最佳配角。

01

加拿大女歌手致敬的作品，以加拿大威士忌和蜂蜜香甜酒等基酒調配，最後在上頭噴上一點薄荷純露，清新而優雅的味道讓人情不自禁跌入那溫暖而慵懶的氛圍；另一款顏色火紅鮮明、上頭還灑上紅胡椒粒的調酒「Billie Jean」則為了紀念 Michael Jackson 而生，使用了四款酒精濃度高於百分之四〇的基酒，品嚐的時候須將順流至嘴中的紅胡椒咬破，濃烈而充滿張力的呈現完整反應了 Billie Jean 歌詞中 Michael Jackson 表達自己的無奈和憤怒。

看著調酒師專業而迷人的動作，不管今晚是什麼情緒陪伴，眼前有各色各樣的調酒瓶所調出來的美酒，加上店內溫馨舒服的溫度，這個夜，獨特而難忘。

比家還要更屬於自己的空間

現任店主 Danny 曾任職外商公司業務，經歷過那段忙碌而充滿競爭的日子，他更能體會每個人是需要沉澱，或是和一、兩位知心好友談心，來平衡白天的生活，期許 Mini Fusion 能提供像家一樣的感覺，讓人感到溫暖而自在。一進門的客人進來不是先找位子坐，也不是先點酒，而是搭著 Danny 的肩，寒暄聊天。Danny 認真地把客人像家人一樣對待，在這 mini 的空間裡，流動的是親情與真心。

不只是高雄當地人，放眼望去，吧台就好像聯合國的縮影一般，來自法國、美國和日本的客人齊聚一堂。一位來自千葉的日文老師便表達了對這裡的喜愛和依賴，畢竟一個人在外地生活，與其每天晚上回家面對空無一人的房間，這裡讓他更溫暖、更有歸屬感，來這裡點上一杯調酒，就算在改考卷也比在家裡自在開心。

就是這樣貼近人心的氣氛，讓這裡每天晚上都上演著不同的故事，孕育出各式各樣不同滋味的調酒，酸酸甜甜，深藏人心。＊

Mini Fusion
add 高雄市苓雅區林德街10巷4號
tel 07-715-8671
time 20:00~凌晨3:00　**price** 低消150元

01紀念麥可傑克森的「Billie Jean」，從外觀到口感都讓人感受濃烈滋味。02火紅鮮豔的紅胡椒創造出讓人驚喜的口感03香煎鮭魚04店家堅持不提供微波食物，和鄰近店家合作推出下酒菜「紅麴雞腿」。05Mini Fusion低調的入口

未成年請勿飲酒

高雄金典酒店 Sky Lounge

坐擁星空甜蜜特調

text IR photo 何忠誠

01

04

03

02

同場加映
高雄尋味

06

05

坐擁270度高雄夜景，每天準時開唱的 Live Band，專業的服務團隊和飯店主廚精選食材所做出來的季節料理，還有哪裡，擁有比 Sky Lounge 還好的陣容和條件？

如果你只把高雄金典酒店的 Sky Lounge 想成一般飯店制式的 Lounge Bar，那你就大錯特錯了。這裡的服務人員專業卻不拘謹，幽默風趣同時溫暖貼心，不管是當地人還是外籍遊客，一個微笑和一句熱情的「嗨！」就是拉近人與人距離最快速、最溫暖的方法。

貼近人心的特調飲品

電梯直達 Sky Lounge 所在的三十九樓，Live Band 主唱歌聲悠揚而美麗的聲音傳來。每天晚間七點準時開唱，菲律賓籍的 Live Band 唱出抒情的氛圍，隨著入夜熱情加倍，九點爆出中內外 High 歌絕對讓你全身上下的血液熱血沸騰。音樂佐美酒，人生夫復而求？

如果要計算高雄哪個場地曾經成全最對情侶求婚成功的話，Sky Lounge 鐵定會被記上一筆。「我要我們在一起」和「Say Yes！」是店內的人氣求婚特調組合，前者專屬女生的香紅色調酒使用蜂蜜、草莓和玫瑰酒呈現香甜幸福的感覺，喚起女孩們從戀愛到交往點點滴滴的甜蜜；後者男生的調酒則使用 Vodka、香檳和藍柑橘香甜酒調和而成，刺激而強烈的味道給男生最強力勇氣向心儀的女伴說出「Marry me！」許多在 Sky Lounge 求婚成功的情侶把這裡當成一輩子最重要的地方，結婚典禮後的 After Party、結婚紀念日，都指定要在這裡舉行。

飯店專屬的頂級美味

Sky Lounge 提供的義式料理由飯店主廚嚴選食材、精心烹調而成。「爐烤宜蘭豪野鴨胸及酥炸鴨腿肉」使用的是有英國櫻桃鴨之稱的宜蘭豪野鴨，油豐肥美多汁，鴨肉醃過之後還需要煎、滷等繁瑣程序，製作費時費工，只為了呈現最難忘的味道給客人。

另外一道「碳烤巴克夏豬里肌佐焦糖蘋果丁及蘋果酒醋醬」使用一公斤四百元，相當於三倍一般里肌的美國巴克夏豬肉，因為完全沒腥味，主廚上桌時呈現八、九分熟的粉紅色，可口又多汁，絕對令人口齒留香。 *

夜空限定

可遠眺高雄夢時代的夜景和各式各樣的調酒，絕對讓夜生活增添風采，專業調酒師專長各式調酒，如果你不知道要喝什麼，針對星座性格而調製的「十二星座調酒」好玩又快速的幫你決定今晚的味道。

高雄金典酒店 Sky Lounge
add 高雄市自強三路一號39樓
tel 07-566-1161 **time** 12:00~凌晨1:00
web www.gfk.com.tw
price 低消約200元

01高雄金典飯店Sky Lounge擁有全高雄最寬廣的夜景**02**外型和滋味都讓女生感覺幸福甜蜜的「我要我們在一起」**03**給男生十足勇氣求婚的經典特調「Say Yes！」**04**私人包廂可遠眺高雄夢時代摩天倫**05**碳烤巴克夏豬里肌佐焦糖蘋果丁及蘋果酒醋醬是主廚招牌**06**香蒜蘿勒白酒墨魚義大利麵&碳烤小捲佐烏魚子滋味迷人

城市
尋味指南

高雄市

Lapalete調色盤法式小館 → P.116
add 高雄市鼓山區青海路185號
tel 07-555-5941
time 午餐11:30~14:30，晚餐17:30~21:30，週一休。

義式料理

台北市

馬可波羅酒廊 → P.104
add 台北市敦化南路二段201號（香格里拉台北遠東國際大飯店38樓）
tel 02-2376-3156
time 11:30~凌晨1:00
web www.feph.com.tw

SIRIS Cuisine & Lounge → P.128
add 台北市安和路二段157號
tel 02-2733-6215
time 11:30~14:00、18:00~凌晨2:00。
web www.siris.tw

Sowieso → P.092
add 台北市四維路88號
tel 02-2705-5282
time 週一~六11:30~14:30，18:30~22:30，週日休。
web www.sowieso.tw

台中市

畢昂卡7街 → P.110
add 台中市精誠七街12號
tel 04-2327-5915
time 11:30~22:30，週二休。
web www.wretch.cc/blog/biancha7vie

西班牙料理

台北市

小路的陽台 → P.098
add 台北市松江路97巷12號
tel 070-1023-4649，0926-144-013。
time 11:30~21:30
web tw.myblog.yahoo.com/snowchidodo

LESSON ONE → P.032
add 台中市西區市府路23號
tel 04-2223-6600
time 8:00~15:00

布列塔尼歐法鄉村雅廚 → P.114
add 台中市五權西四街63號
tel 04-2378-0489
time 11:00~15:30（供餐至14:00），17:00~22:20（供餐至21:00）。

高雄市

金禾別苑Blanc De Chine → P.062
add 高雄市苓雅區廈門街6號（光華路口）
tel 07-222-2133
time 11:30~22:00，下午茶時間14:00~17:00。

安多尼歐水岸歐式美食藝術 → P.122
add 高雄市鹽埕區河西路7-1號
tel 07-533-5330
time 11:45開始營業，平日最晚點餐時間21:00，假日最晚點餐時間21:30。
web www.san-antonio.com.tw

法式料理

台北市

好樣VVG Bistro → P.014
add 台北市忠孝東路四段181巷40弄20號
tel 02-8773-3533
time 供餐，週一~五12:00~23:00，週六、日11:00~23:00。早午餐，週六、週日11:00~16:00。
web vvgvvg.blogspot.com

穀倉法炊 Barn Canteen → P.074
add 台北市中山北路二段16巷3號
tel 02-2523-3277
time 11:30~22:30，點餐至21:30。

Justin's Signatures → P.084
add 台北市敦化南路二段265巷17號
tel 02-2736-8000
time 12:00~15:00、18:00~22:00，每月第二、四週日休。

台中市

鹽之華 → P.106
add 台中市五權西四街114號
tel 04-2372-6526
time 14:00~23:00，週一休。
web www.fleur-de-sel.com.tw

歐陸料理

台北市

向The Brunch・敦南店 → P.018
add 台北市敦化南路一段236巷18號
tel 02-8771-8258
time 週一~五10:00~23:00，週六、日8:00~23:00。

Nonzero非零餐廳 → P.078
add 台北市大安區仁愛路四段27巷4弄5號
tel 02-2772-1630
time 週一~五11:30~21:30，週六、日11:00~22:00，週二休。

白宮私宅 → P.082
add 台北市中山北路六段186巷3號
tel 02-2831-8420
time 18:00~22:30，週日休。
web www.whitehouse186.com

星辰酒窖 → P.086
add 台北市辛亥路二段195號B1
tel 02-2738-3299
time 15:00~17:30、18:00~23:00，週日休。
web www.starwine.com.tw

小酒館Sommelier → P.094
add 台北市明水路553號
tel 02-2532-4707
time 12:00~14:30，17:30~22:30，全年無休。
web www.sommelier.idv.st

台中市

Forty Café → P.024
add 台中市公益路155巷88號
tel 04-2302-8627
time 早午餐8:00~11:00、午餐11:00~14:00、下午茶14:00~18:00、晚餐18:00~20:00，週日、週一不供應晚餐。
web fortycafe.myweb.hinet.net

斐麗生活 → P.028
add 台中市北區青島路三段115號
tel 04-2237-9101
time 早餐7:00~11:00，午餐11:30~14:00，午茶14:00~16:30，晚餐17:30~22:00。
web www.feeling.com.tw

法式甜點

台北市

Salon de The Joël Robuchon ➔ P.038
add 台北市松仁路28號BELLAVITA 3樓
tel 02- 8729-2626
time 10:00~22:00，週末假日10:00~22:30。

Micasa Dolci ➔ P.046
add 台北市仁愛路4段462號
tel 02-2345-7669
time 11:30~20:30，無休日。

樂朵L'etoile Patisserie ➔ P.048
add 台北市信義路5段150巷445弄18號
tel 02-2345-7779
time 12:00~19:00（外帶），13:00~18:00（內用，採預約制），週一休。
web letoile101.blogspot.com

台中市

格蕾朵法式烘焙坊 ➔ P.054
add 台中市南屯區大業路398號
tel 04-2258-7998
time 10:00~22:00，週一休。
web www.colette.com.tw

高雄市

瑪琪朵朵 ➔ P.070
add 高雄市苓雅區苓雅一路33號
tel 07-537-2066
time 早餐時間9:50~11:00，午餐時間11:30~14:00，午茶時間14:00~18:30。

咖啡輕食

台北市

朵兒咖啡館 ➔ P.042
add 台北市富錦街393號1樓
tel 02-8787-2425
time 13:00~22:00

flat white ➔ P.052
add 台北市永康街41巷12號
tel 02-3393-8872
time 12:00~23:00，週二休。

高雄市

Qubit Café ➔ P.066
add 高雄市鼓山區美術東七街77號
tel 07-555-9477
time 8:00~22:00

中式料理

台北市

亞都麗緻天香樓 ➔ P.088
add 台北市民權東路2段41號
tel 02-2597-1234
time 12:00~14:30，18:00~22:00。

日式料理

台北市

花酒藏A-plus ➔ P.102
add 台北市安和路一段33號
tel 02-2731-9266
time 12:00~15:00，18:00~凌晨2:30（供餐至凌晨1:30）。
web www.aplusdiningbar.com.tw

花園日本料理 ➔ P.134
add 台北市中正區中華路二段1號 台北花園大酒店一樓
tel 02-2314-6611
time 11:30~14:30，18:00~22:00。
web taipeigarden.hotel.com.tw

高雄市

香月壽司 ➔ P.120
add 高雄市新興區復興二路300-1號
tel 07-225-5858
time 11:30~14:00，17:30~10:00。

日式甜點

台中市

明森宇治抹茶專賣店 ➔ P.058
add 台中市西區存中街161巷1號
tel 04-2375-6262
明森二店
add 台中市尚德街2號
tel 04--2208-0798
time 11:00~22:00
web www.mstea.com.tw

德式料理

台北市

溫德德式烘焙餐館 ➔ P.022
add 台北市天母德行西路5號
tel 02-2831-4592
time 7:30~23:00，早餐7:30~11:00。
web www.wendels-bakery.com

寶萊納餐廳 ➔ P.100
add 台北市北投區學園路1號（國立台北藝術大學藝文生態館旁）
tel 02-2891-7677
time 11:00~22:30
web www.wretch.cc/blog/paulaner

美式料理

台北市

小貳樓餐館
MINI Second Floor café ➔ P.010
add 台北市內湖區洲子街73-1號
tel 02-2659-2058
time 週一~四11:00~21:30，週五~日8:00~21:30。
web www.wretch.cc/blog/secondfloor2

吃蛋吧Omelet to Go ➔ P.016
add 台北市光復南路473巷11弄40號
tel 02-2720-8782
time 週二~五11:00~14:30、17:00~21:30（最後點餐20:30），週六、日9:00~17:00，週一休。

樂子The Diner‧瑞安店 ➔ P.020
add 台北市瑞安街145號
tel 02-2700-1680
time 週一~五10:00~23:00，週六、日9:00~23:00。
web www.thediner.com.tw

高雄市

Michino Diner ➔ P.034
add 高雄市新興區大同一路79號
tel 07-216-2290
time 10:00~22:00
web www.wretch.cc/blog/michino0720

Whisky Gallery → P.178
add 台北市仁愛路四段112巷21號1樓
tel 02-2707-1986
time 13:00~凌晨3:00
web www.smws.com.tw

Trio三重奏 → P.180
add 台北市敦化南路二段63巷54弄12號
tel 02-2703-8706
time 18:00~24:00

台中市

Rico Padre → P.150
add 台中市政北二路46號
tel 04-2255-1919
time 16:00~凌晨3:00，夏日週末13:00~凌晨3:00。

歐貝拉時尚餐廳 → P.154
add 台中市五權七街65號
tel 04-2372-5020
time 20:00~凌晨4:00
web www.opera2010.com.tw

高雄市

Roof Park → P.156
add 高雄市林森一路165號15F（林森中正路口）
tel 07-241-6666
time 週日~五18:30~凌晨3:00，週六18:30~凌晨4:00。
web www.roof-lounge.com

Mini Fusion 小酒館 → P.182
add 高雄市苓雅區林德街10巷4號
tel 07-715-8671
time 20:00~凌晨3:00

高雄金典酒店Sky Lounge → P.186
add 高雄市自強三路一號39樓
tel 07-566-1161
time 12:00~凌晨1:00
web www.gfk.com.tw

Spark → P.148
add 台北市市府路45號 台北101 B1
tel 02-8101-8662
time 週日~週二、四21:00~凌晨3:00，週三至凌晨4:00週五、週六至凌晨4:30。
web www.spark101.com.tw

Champagne II → P.162
add 台北市安和路二段169號
tel 02-6638-1880
time 週日~四19:30~凌晨3:00，週五~六19:00~凌晨4:00。

China White → P.166
add 台北市敦化南路二段97-101號Modern Mall 2樓
tel 02-2705-5119
time 週一~四12:00~凌晨2:00，週五12:00~凌晨3:00，週六18:00~凌晨3:00，週日18:00~凌晨2:00。
web www.chinawhite.com.tw

後院Larriere-cour → P.168
add 台北市安和路2段23巷4號
tel 02-2704-7818
time 19:00~凌晨3:00
web tw.myblog.yahoo.com/backyard-taipei

邱吉爾爵士雪茄館 → P.170
add 台北市南京東路三段133號 六福皇宮3樓
tel 02-8770-6565
time 週一~週六15:00~凌晨1:00，週日15:00~23:00。
web www.westin.com.tw

Franz & Friends → P.172
add 台北市八德路三段25號B1樓（社教館城市舞台B1樓）
tel 02-2579-0558
time 11:00~24:00
web www.franzandfriends.com.tw

Khaki咖啡吧／W Bar → P.174
add 台北市仁愛路四段15號1樓／3樓
tel 02-2779-1152（Khaki），02-2779-0528（W Bar）。
time Khaki咖啡吧，12:00~24:00，週五、六12:00~凌晨2:00。W Bar，19:00~凌晨1:00，週五、六19:00~凌晨3:00。

酒吧

台北市

金色三麥 誠品酒窖 → P.126
add 台北市信義區松高路11號 誠品信義店B1
tel 02-8789-5911
time 週日~四11:00~24:00，週五、六至凌晨1:00。
web www.lebledor.com.tw

Barcode Taipei → P.130
add 台北市松壽路22號5樓
tel 0920-168-269
time 週日~四21:00~2:30，週五、六21:00~凌晨3:00。

The SOHO dining space & URBAN 9 BAR → P.138
add 台北市敦化南路一段149號1~5F
tel 02-2751-1338
time 12:00~凌晨2:00
web www.thesoho.com.tw

The villa-herbs → P.140
add 台北市樂利路11巷30號~32號
tel 02-2732-3255
time 11:30~凌晨2:00，週五~六11:00~凌晨3:00。
web www.thevilla-herbs.com

Hampton Court & Garden → P.142
add 台北市南京東路三段133號 六福皇宮1F
tel 02-8770-6565
time 8:00~23:00
web www.westin.com.tw

The Éclat Lounge／George Bar → P.146
add 台北市大安區敦化南路一段370號 怡亨酒店
tel 02-2784-8888
time The Éclat Lounge 6:30~23:00，The bar 17:00~凌晨1:00。
web www.eclathotels.com/taipei

一日
尋味台北

作者 MOOK編輯室
主編 郭燕如
執行編輯 黃郡怡
特約文字 洪禎璐．郭梅琳．李芷姍
攝影 周治平．李美玲
特約攝影 石宗仁．Alan Lin．何忠誠．黃裕順．
莊明穎．王銘偉．小兆．高伊芬．SAM
封面&版面設計 洪玉玲
美術設計 周慧文

發行人 何飛鵬
PCH集團生活旅遊事業總經理 許彩雪
社長 李淑霞
出版公司 墨刻出版有限公司
地址 台北市104民生東路二段141號9樓
電話 886-2-2500-7008
傳真 886-2-2500-7796
E-mail mook_service@hmg.com.tw
網址 travel.mook.com.tw
旅人誌Blog itraveler.pixnet.net/blog

發行公司 英屬蓋曼群島商家庭傳媒
股份有限公司城邦分公司
城邦讀書花園 www.cite.com.tw
劃撥 19863813
戶名 書虫股份有限公司
香港發行所 城邦（香港）出版集團有限公司
地址 香港灣仔駱克道193號東超商業中心1樓
電話 852-2508-6231
傳真 852-2578-9337

經銷商 農學股份有限公司（電話：886-2-2917-8022）
製版 藝樺彩色製版股份有限公司
印刷 科樂印刷事業股份有限公司
ISBN 978-986-6500-87-9
城邦書號 KB3016

初版2010年08月 定價280元

國家圖書館出版品預行編目資料

一日，尋味台北：
從Brunch、下午茶、極味餐廳到Lounge Bar的城市美食指南
MOOK編輯室——
台北市：墨刻出版：家庭傳媒城邦分公司發行, 2010.08
192面　；16.8*23公分——Let's OFF：KB3016
ISBN 978-986-6500-87-9（平裝）
1.餐廳　2.餐飲業　3.台灣
483.8　　　　99012240